Advertising Secrets of the Written Word

The Ultimate Resource on How to Write Powerful Advertising Copy from One of America's Top Copywriters and Mail Order Entrepreneurs

全米No.1のセールス・ライターが教える

10倍売る人の文章術

ジョセフ・Joseph Sugarman
シュガーマン
金森重樹＊監訳

PHP

監訳者まえがき

金森重樹

本書の著者であるシュガーマンは、宣伝、広告の結果について何の責任も負うことなく、あれこれと評論したり、コンサルティングをする人ではありません。みずからが文章を書き、リスクを負って、宣伝、広告から得られる反響により、利益についても損失についても責任を負う立場にある高名な実業家です。

本書は、リスクをとって得られたコピーライティングという文章術や、マーケティング上の貴重なノウハウを伝えるものとして、印刷媒体のみならず、インターネット広告にも広く応用できる内容となっています。

実業家は日々の宣伝、広告に、みずからの事業の命運と全従業員の生活を賭して広告を作成します。多額の現金を投下して行う宣伝、広告の成否に痛みを感じる立場にあります。その意味で、実業家はコンサルタントの何倍も結果に執着するわけで、それだけ自分の事業に関しての宣伝、広告スキルは上達することになります。

シュガーマンは、『ダイレクトマーケティングを代表するセールスライターの多くが広告代理店勤務ではなく、みずから会社を経営し、成功と失敗を身をもって体験しています』『一流といわれる人たちは自身の会社を持ち、何年にもわたる試行錯誤を実践しています』と述べていますが、本書を読み終えたあなたも、ぜひ本書の内容を実践して、たくさんの失敗と、そして成功を手にしてください。

成功からは何も得られませんが、失敗はあなたに多くのことを教訓として教えてくれるでしょう。


僕自身も銀座の広告制作会社の取締役をする一方で、いくつかの実業を経営しています。

僕がサラリーマンをやめて一番最初に起こした事業は行政書士事務所でした。独立のために国民生活金融公庫で借金をして作った、なけなしの300万円を、僕はFAXDM(ファクスを使ったダイレクトメール)に投下して、集客を行いました。その頃は、アメリカのダイレクト・レスポンスマーケティングの翻訳書も少なく、原書を読みながら、あれこれと試行錯誤しました。

そのころ、本書が翻訳されていたらどんなによかったことでしょう。

ともあれ、結婚したばかりで、貯金もまったくなかった僕が、もしあのとき全精力を注いでＦＡＸＤＭのコピーを考えなかったら、地獄の釜の蓋がガバッと開いて、今頃は借金の返済が出来ずに自己破産していたでしょう。

幸いなことに、僕が作成したコピーは爆発的な集客力を持ち、行政書士事務所、開業初月から月収１００万円を売り上げることができました。

僕がＦＡＸＤＭを作成することを通じて練ったコピーライティングの技術は、インターネットの広告へと移行していったとき、その効果を何ら減じることがありませんでした。

僕は、ＦＡＸＤＭで使用していたコピーに若干の手直しをするだけで、パソコン一台で年1億円以上の収益をあげることができました。

インターネットにおいては、現在はバナー系の広告はクリック率が低いため、テキスト広告が重要になっていますが、そこでものを言うのが、売るための文章術――コピーライティングの技術です。

よいコピーと悪いコピーで、掛かる費用に1円の違いもありませんが、そのもたらす利益には非常に大きな違いがあります。

本書の内容が、インターネット上の広告にも適用可能であることは僕が請け合います。

また、テキスト広告以外の媒体がでてきて、時代もインフラも変わったとしても、このコピーライティングの技術自体は時代を超えて役に立つものです。

そして、シュガーマンが最後の項目で『常識はずれの広告の秘密』と書いている、億単位の不動産を通販広告で売るという試みについては、非常に興味深いと思っています。

実は何を隠そう、これこそが、いまの僕の事業の中核的な役割を果たしている『通販大家さん』という事業です。

通販大家さんとは、通信販売で一棟ものマンションを購入して、大家さんになろうというコンセプトのもとで、億単位の不動産をインターネットで通信販売するために僕が作った不動産会社です。

僕は、2億円前後の一棟もの収益マンションを通信販売で『普通に』売ってます。いえ、言い方が適切ではありませんでした。

億単位のマンションが通販で『奪い合い』になっており、広告を出してから、わずか数時間で売れてしまいます。そして、この通販の会員は会員募集開始から1年経った2006年2月末現在、1万7000人います。

しかも、僕は一切の対面での販売活動を行っておらず、すべての販売活動は、登録会員に配信されるメールマガジンによってインターネット広告で行われています。にわかに信じられないという方は、ぜひこのサイトを見てみてください。

http://www.28083.jp

シュガーマンは、『(ダイレクトマーケティングの)スキルを身につければ、文章の力だけでビジネスを築き上げることができる』と述べていますが、僕もつくづく実感しております。ダイレクトマーケティングの技術は、業種を越え、商品を越え、そしてシュガーマンの予想さえ超えて広汎に通用する力を潜在的に持っています。

あなたも売れる文章の技術と、このダイレクトマーケティングの技術を、ぜひ物にしてください。

さあ、そろそろセミナーの開講の時間です。赤ペンと付箋は忘れないで、僕と一緒にシュガーマンのセミナーを受講しましょう。

全米No.1のセールス・ライターが教える
10倍売る人の文章術

●もくじ●

役に立つ22の心理的トリガー

カバーデザイン■斎藤啓一
翻訳協力■株式会社トランネット　三木俊哉
編集協力■梅森 妙
本文デザイン＋DTP■株式会社昇友

お客を爆発的に増やす実証済みのテクニック

この本は、私が開いたセミナーを忠実に再現したものです。

私のセミナーは「特別」でした。何が特別かと言うと、まず、私自身が宣伝と広告文を書く実践家だという点です。

教育者でもなければ、コンサルタントでもありません。マーケティングという大きな賭けをし、給料を払わなければならない身です。現場の最前線で、自分の書くコピー、自分の下す判断が市場に受け入れられるように日々奮闘していたのです。

また、私たちの広告は、新聞、雑誌、飛行機など、あらゆるところに登場していて、あまりに頻繁に登場するものですから、その宣伝文は多くの注目を浴び、まねをする者が次々と現れました。

セミナーを開くと、私の話を聴くために、あるいはコンサルタントとしての私に相談するために、皆さんがいかにお金を惜しまないかを思い知らされました。事務機器販売会社B・A・パール社の経営者であるバーニー・パールはある日、私のダイレクトマーケティング関係者向けの講演を聴くというそれだけのために、ナッシュビルから飛行機に乗ってはるばるロサンゼルスにやって来ました。「あなたが四十五分話すのを聴くために千ドル（約十一万円）以上使いましたよ」と彼は言ったものです。

■最も高価なセミナーのすべてを一冊に収録

私は、五日間のセミナー受講料を二千ドル（約二十二万円）と設定しました。広告の世界では最も高額なセミナーです。一九八八年にかけての最後のセミナーは三千ドル（約三十三万円）でした。

セミナーの告知をしたところ、反応はすぐにありました。

数週間のうちに全世界からの参加者でクラスは満員になりました。ドイツからの参加者もいれば、カリフォルニアから数名、東海岸からはかなりの参加者がありました。テキサスで農業を営む人もいれば、カリフォルニア州カーメルの歯科医もいました。ワシントンの保守派ファンドレイザー（資金調達専門家）、リチャード・ビゲリーの顔もありましたし、バーニー・パールが出席したのはいうまでもありません。実際には予定以上の参加希望者があったので、次回用の予約リストを作成したほどです。

本書にはそうしたセミナーの授業内容のエッセンスを数多く収録しました。コピーライティングの技術、お客を倍増させる文章を書くための心構え、あらゆる販促に使えるコピーの書き方、商品やコンセプト、サービスを斬新かつ刺激的に見せる方法、効果があるものとないもの、販売者が陥りやすい落とし穴について、などなど、盛りだくさんの内容を学ぶことができます。

私は自身のあらゆる思考プロセスを明らかにすることで、お客を爆発的に増やす文章、宣伝コピーに対する独自のアプローチを伝授します。

それは、あらゆる宣伝文のあるべき「流れ」から広告に必要な諸要素、コピーやその動機づけの心理学から言葉が生み出す感情にまで及びます。セミナーがコピーやマーケティングの学習にとどまらなかったのは間違いありません。

その後、大きな成功を収めた人たちにとって、セミナーはモチベーションを上げるひとつの場となっていました。すでに成功していた人たちも、仕事に戻って新しく学んだ知識を試すのが待ち遠しくてなりませんでした。彼らもまた、成長を遂げたのです。

本書で学べるのは、お客を爆発的に増やす書き方——コピーライティングの技術についてだけにとどまりません。その他のマーケティング手法と、いかに関連づければよいかがわかるでしょう。また、そこには共通原則が多いことに気づかれるでしょう。

■お客をダイレクトにつかむ文章の力

本書を通じて私が語るのは、効果的な文章やコピーを書き、最終的な目標――すなわち「苦労して稼いだお金を商品やサービスと交換してもらう」――を達成するということ。本当にシンプルなことです。

私が得意とするダイレクトマーケティングは、間違いなく二十一世紀のツールです。お客に直接はたらきかけるダイレクトマーケティングを用いて、何百万という人々のポケットから何億円というお金を引き出すことができました。すべては言葉の力で、あるいはネットで伝えるメッセージを通じて。

本書ではほとんどの内容について、印刷物による宣伝を基準として説明しています。他に何百もの競合メッセージが居並ぶメディア――そのなかの一ページで、二次元、音も動きもないという制約のなか、自分の宣伝文を読んでもらうように仕向け、商品サービスの完全なストーリーを伝え、電話を手にとって注文してもらわなければなりません。このプロセスを理解し、効果的に実行するには、多くの経験やスキルを要します。しかし、いったんそれを身につければ、様々なシーンに応用でき、文章の力だけでビジネスを築き上げることもできるのです。

マイク・バレンタインは、私のセミナーに参加したとき、レーダー探知機のいわばガレージ企業を経営していました。その後、私から学んだスキルの多くを用いて、彼の会社、シンシナティ・マイクロウェーブ社は売上高一億四千万ドル（約百五十億円）の公開企業になりました。ジミー・カラノは、私の講座に出席したとき、小さな経営セミナーを主催する二十歳そこその若手企業家でした。彼はやがて売上高数億円のキャリアトラック社を率いる、セミナービジネスの雄となりました。ランジェリーメーカーのヴィクトリアズ・シークレット社は、まだカタログと二つの店舗しかない時代に、腕利きのマーケティング担当者二名を派遣してきました。同社はやがてザ・リミテッド社に買収され、全米でも有力な小売りチェーンとなりました。

ダイレクトマーケティングに魅了され、とっておきの二千ドル（約二十二万円）を使ってセミナーにやって来た世界最大の宅配便会社ＵＰＳ社のドライバーから、すでにメールオーダーの企業家として成功していた、"The Lazy Man's Way to Riches"（怠け者がリッチになる方法）の著者、ジョー・カルボに至るまで、参加者はみな、大きな期待を胸にセミナーに臨み、その後のさらなる成長や繁栄に資する貴重な知識を身につけて、それぞれの場所へ戻っていきました。

■必ず、誰もが売れる文章を書ける

私は大好評を博したセミナーの直後に、本書の大体の部分を書き上げました。残る原稿やマーケティングのノウハウは、その後の、テレビというビジュアルメディア――すなわちインフォマーシャル、テレビスポット、ホームショッピングでの経験がもとになっています。

本書を読めば、コピーライティング、マーケティング、コミュニケーションなど、セミナーで私が教えた新鮮なノウハウの数々を知ることができるでしょう。

たとえ宣伝文を書くことに関心がなかったとしても、コピーライティングのプロセスをこれまで以上に認識・理解することができるでしょう。自分にもよい文章が書ける、あるいは少なくともコピーの批評ができるという自信が生まれるはずです。

では、リクライニングチェアでも引っ張り出し、リラックスして、コピーライティング、マーケティング、クリエーティブな表現というテーマについていっしょに学んでいきましょう。

第1部

お客を爆発的に増やす書き方、コピーライティングの秘密

いよいよセミナーが始まります。セミナー会場を目前にした受講者たちの気持ちは高ぶるばかり。どんな役立つ情報を得られるのか。どんな経験をするのか。そしていったい何を学ぶのか。

彼らは私にとって、初のセミナー受講者たちです。その初日に私は、驚異的な成果をあげる文章の書き方――コピーライティングの秘密を伝授することを約束しました。また、そうした優れた文章を書く準備としての心構えや、優れた広告の組み立て方という基本概念も学ぶことができると――。

しかしもっと重要なのは、彼らが初日に学ぶことは、印刷物からインターネット、通販、ダイレクトメールからカタログまで、あらゆるコミュニケーションに関する学習の基礎となるということです。

三フロア分を使った丸天井のリビングルームに受講者が集まると、私はスタッフを紹介しました。コック、給仕係、ハウスキーパーやグラウンドキーパー、そしてセミナースタッフ。それから私の妻と、二人の子ども――六歳のエープリルとまだ三歳のジルを紹介しました。そう、まるで自宅のように、私の家族も滞在することになっていました。子どもとはいえ、彼らはそれぞれ、小さいながらも重要な役割をセミナーで果たしてくれたのです。

初日はとにかく重要です。そして数多くの授業や経験のなかでも、受講者の多くにとって、この初日のインパクトは相当なものでした。みんな私のところへ来ては口々に言うのです。コピーライティングの力をつけるだけでなく、売り上げを伸ばすための広告やマーケティング分野全体を理解するうえで、初日の内容がどれだけ衝撃的だったかと。

ボストンから来たハービー・シナモンはその日に言いました。「いますぐ帰っても大丈夫。もう十分な価値を手に入れたから」

ワシントンのファンドレイザー、リチャード・ビゲリーは、初日に学んだことは自分のビジネスにとって、とても貴重だと述べました。「今日ここで学んだことに触発されて何かひとつ変化しただけでも、セミナー代のもとはとれますよ」

さあ、ではこれから、私が莫大なコストをかけて身につけ、受講者の皆さんが多額のお金を支払って学んだその内容を、とくとご覧ください。

知識の秘密

お客を爆発的に増やす書き方――コピーライティングの力をものにする準備として、まず「知識」が必要です。知識には二種類あります。ひとつは幅広い一般的な知識、もうひとつは対象を絞った具体的な知識です。以下、ご説明します。

世界有数の「お客を爆発的に増やす書き方」を習得するカリスマたちは、好奇心が旺盛、読書量が多い、趣味が豊か、旅行好き、興味・関心が多様、いろいろなスキルを身につけては飽きてしまい、また別のスキルを身につける――といった特徴があります。経験や知識に飢え、他人への関心が人一倍。とても聞き上手です。

自慢めいているかもしれませんが、私の場合も同様です。アマチュア無線を楽しむほか、パイロットでもあります。趣味はコンピューター、音楽、読書、映画、旅行、美術、デザインなど。組版からレイアウトまでのすべてを担当して、自社のカタログを完成させたことがあります。カメラマンとして写真も全部担当し、一部のページではモデルにもなりました。

スポーツの経験も多彩ですし、南極を除くすべての大陸を旅したことがあります。また、ドイツ語をマスターしました。そして、数えきれない失敗とたくさんの成功を味わいました。そのひとつひとつが貴重な学習体験となっています。

優れた文章が書ける人の条件とは、知識欲、大いなる好奇心、豊かな経験、そして仕事を面倒くさがらないことです。

偉大な作家たちの暮らしぶりを探れば、彼らが多くの経験を積み、その経験に基づいて書いていることがわかります。ヘミングウェーもスタインベックも冒険を実践したうえで、その冒険について書いています。経験を重ねれば重ねるほど知識が増え、よいコピーアイデアやマーケティングコンセプトが浮かびやすくなるのです。

しかし、それ以上に大切なのは、できるかぎりの体験をし、失敗を恐れないこと。重要なのは人生の勝敗ではなく、正々堂々とチャレンジすることです。敗北をたくさん知れば、いずれは勝利します。それは時間の問題にすぎません。ポラロイドカメラを発明したエドウィン・ランドによる「失敗」というものを定義した言葉が、それを見事に言い表しています。**「失敗とは、その価値がまだ実現されていない将来の財産である」**

若いころに、何かを成し遂げようと努力したのに成しえなかったときのことを思い出します。私は自分に言い聞かせたものです。「大した失敗ではない。尻ポケットにでも入れておこう。いずれそのうち、そこに手を伸ばせば自分の経験を生かすことができる。必要なときにすぐに答えが見つかるはずだ」と。

■アイデアを生むために最も重要なこととは何か

私たちの心は巨大コンピューターのようなものです。脳に記憶される経験はすべて、その良し悪しを問わずプログラム素材やデータとして蓄積され、将来、別の新しい方法で呼び出され、組み合わされることになります。

こうして当然のことながら、経験が増えれば増えるほど、その経験を新たな問題やチャンスに結びつけることができるのです。

この世にまったく新しいものなどありません。単に過去のさまざまな知識を取り出し、それらをまったく別のかたちにまとめ上げるというだけのことです。創造と破壊があるわけではありません。十億年前に地上に存在したものは、現在もほとんど存在しています。唯一の違いは、その形式や様式が新しいということなのです。

経験や知識の蓄積が多ければ多いほど、またそうした知識を関連づけて新たな組み合わせを生み出すことができればできるほど、あなたのアイデアは豊かになり、文章を書く力量も向上します。

「ハンマーしか持たない人には、すべてがクギに見える」と言います。問題に取り組むツール、すなわち経験や知識が多いほど、問題解決の方法もたくさん見つかるのです。

現代の独創的な思想家のひとり、エドワード・デボノは、対象の問題だけに集中することなくアイデアを創出するプロセスを表現して、「水平思考」という言葉を考えました。問題を、それとは無関係なことに関係づけることで、新しいアイデアが浮かぶことがしばしばあります。

デボノは「シンクタンク」と呼ばれる小さな製品をつくり出しました。これは人々がもっと水平的に思考することで、その結果、もっと創造的に考えることを奨励するものです。表面に小窓がついた小さな球体で、窓を覗くと、なかに入っているさまざまな単語が書かれた一万四千枚のプラスチック片を見ることができます。そこで、最初に目にした三つの語を書きとめるのです。

さて、これら三語をマーケティング上の課題と関連づけてみましょう。問題解決のための新鮮な視点を得ようというわけです。たとえば、飛行機を売りたいとします。ふつうなら飛行機やその特徴、計器類に照準を合わせた広告を出すでしょう。しかし、水平思考をめざしてシンクタンクを使ったところ、「農場」「販売員」「思いやり」という、まったく無関係な三つの言葉を引き当てました。これら三語を盛り込んだ宣伝文をつくらなければなりません。すると、その三つをなんとか結びつけようとして、これまでの経験、脳内の「データバンク」を総ざらいすることになります。もちろん飛行機を売るということは忘れずに。

水平思考はひとつのツールにすぎません。辞書もそうですし、私たちの心もそうでしょう。コピーを書いたり、発想する際に最も重要な素養のひとつは、まったく異なるものを関連づけて、新しいアイデアを生み出す力ではないでしょうか。繰り返しますが、経験に基づくデータが豊富であればあるほど、またこうしたデータを問題と関連づける力があればあるほど、優れたアイデアを生み出しやすくなるのです。

■多くの経験を、本書から学べる

ダイレクトマーケティングを代表するセールスライターの多くが広告代理店勤務ではなく、みずから会社を経営し、成功と失敗を身をもって体験しています。ベン・スアレス、ゲーリー・ハルバート、故ジーン・シュワルツなど、一流といわれる人たちは自身の会社を持ち、何年にもわたる試行錯誤を実践しています。大失敗もあれば大成功もあったでしょう。こうした体験に勝るものはありません。

私の場合は、何千という商品を提示され、そのうち数百の広告を書いたことから、年に数百回も優れたアイデアを出す必要に迫られたという経験があります。自分の書いた広告を振り返ると、少しずつ上達したことがわかりますが、こうした幅広く豊富な経験がなければ、それも不可能だったに違いありません。

そうした経験の多くを、あなたは本書を通じて学ぶことができるのです。私がキャリアを重ねるなかで犯した過ちを繰り返さないですむうえに、そうした過ちが、なぜ貴重な学習となったのかをご理解いただけるでしょう。

お客を爆発的に増やす文章を書くための準備――それはいわばライフスタイルの問題です。必要なのは、知識欲、好奇心、そして広い世界で情熱的に生きたいという意欲です。あなたがそうした人間なら、すでに素養十分です。そうでないとしても、まずはそれに気づくことから始めましょう。望みはいずれかなうものです。ただ人生経験が豊富ならいいというものではありません。次章で学ぶことも大切な要素です。

説得力という秘密

テキサス州ダラスにあるセンサー・ウォッチ社の研究所。私は顕微鏡を覗いて、新しいデジタル時計の設計、製造、組み立ての方法をできるかぎり知ろうとしていました。

「すべての接点が金メッキされているのはなぜですか?」と私。技術者が答えます。「あらゆる集積回路で接点は金メッキされています。これも技術のひとつです」

そんな会話が続きます。もうかれこれ二日になりますが、私はなおも、この広告で紹介する予定の新しいデジタル時計をすみずみまで調べようとしていました。まだ、この新製品の利点を宣伝できるような段階には達していません。

当時、ほとんどのデジタル時計は、時間を見るためには、ボタンを押してディスプレーを照らす必要がありました。

センサー・ウォッチ社の新製品の場合は、ディスプレーの後ろの薄いカプセルに入った不活性な放射性物質のおかげで、ディスプレーは常時光り輝いていました。

■事実が説得力を生む

つまり、時計に目をやれば、ボタンを押さなくても時間がわかるということです。たとえ夜でも――。しかし、この商品には説得力の強い紹介が必要だと私は感じており、それにはまだまだ物足りない状況でした。

「センサー770」は、製造コストも高ければ販売価格も高い新製品です。ですから、他の時計とは違う特別な何かがほしかったのです。

「なぜ放射性物質を時計に使うことを誰も思いつかなかったのですか？」

それが私の次なる質問でした。

技術者は私を見つめ、少し間をおいてから言いました。

「透明なカプセルに放射性物質を入れ、漏れないように密封する技術がなかったのです。レーザーを使った技術が開発されるまでは――。いまはレーザーでカプセルを密閉します。レーザーがなければカプセルを完全に密閉することはできません」

これだ、と私は思いました。コンセプトは明快です。そして、この新しいデジタル時計に次のようなキャッチコピーをつけたのです。「レーザービームのデジタル時計」

宣伝文では、レーザービームのおかげでこの時計ができたこと、その新技術が消費者にとって福音《ふくいん》となったことを語りました。こうしてひとつのコンセプトを定めたことで、センサー770は何億円もの売り上げを記録し、利益を上げげました。

カプセルを密閉するレーザービームという事実を突き止めた時点で、他社製品と一線を画すこのユニークなキャッチコピーを私は思いついていました。

しかし、そのコンセプトが浮かぶまでには、数日にわたる徹底した研究と学習が必要だったのです。これは数分で見つかることもあれば、数時間、ときには数週間かかることもあります。

今回は具体的な知識をインプットしながら、数日間辛抱した成果でした。

■専門家になれ

宣伝の効果を上げたいなら、対象となる商品やサービスの専門家にならなくてはなりません。専門家になるとは、売ろうとする商品について学び、その本質を伝えられるだけの具体的知識を得ること。「私はこの商品を消費者に効果的に伝えられるだけのことを学んだ専門家だ」と自分に言い聞かせてください。「具体的な知識」とはそのことをいいます。

だからといって、テーマごとに毎回、ありとあらゆることを学べというのではありません。私も何度となく、商品やサービスを見ただけで、あとは過去の経験や特定カテゴリーの知識をもとにアイデアを導いたことがあります。

ご存じのように私はパイロットであり、アマチュア無線家であり、写真家でもあります。

飛行機、ラジオ、カメラなど、仕事で販売する製品の幅広い知識だけでなく、顧客に関する知識もすでに十分でした。私自身が代表的な顧客だからです。宣伝の対象となる人たちと同じように、その商品にこだわりを持つ人間だったのです。

■顧客についても知れ

これがもうひとつのポイントです。商品サービスを知ると同時に、顧客についても知る必要があります。販売相手に関する具体的な情報を集めて、誰が顧客なのかを語れる専門家にならなければなりません。自分自身が典型的な顧客なので、もう専門家だという方もおられるでしょう。その場合は、顧客の好き嫌いや関心のある内容、彼らが商品を販売する企業に期待することなどは百も承知です。しかし、あまり勘が働かない商品サービスのコピーを書かなければならないとしたら、顧客は誰か、彼らの気持ちを動かす材料は何かを理解するために、研究に研究を重ねなければなりません。

■商品の本質を理解しろ

顧客や商品に加えて、もうひとつ理解しなければならないものがあります。商品にはそれぞれ、顧客に対する紹介の仕方というものがあります。つまり、商品にはそれぞれの

「本質」がそなわっており、あなたは消費者にとって、その商品の本質が何であるかを見つけ出さなければならないのです。

例を挙げましょう。自宅の地下室でJS&A社を立ち上げたころ、私はハワード・フランクリンという人物に出会いました。ハワードは保険の販売員で、『ウォールストリート・ジャーナル』紙に私が出した広告を見て計算機を買ってくれました。これが一台目です。それが気に入ったのでしょう、彼はある日、私のもとを訪れ、さらに何台かを購入してくれました。その後もたまにやって来ては、顧客へのギフトだといって計算機を買ってくれました。

ある日のことです。ハワードが現れて言いました。JS&A社は成長企業だから保険に入りなさいと。「ご家族のことを考えてください。かなりの財産があるかもしれませんが、あなたにもしものことがあったら、税金で相当持って行かれますよ」

「ご忠告はありがたいけれど、どうも保険というものは当てにできなくて」というのが、私の答え。

でも、ハワードは優れた販売員でした。時おり、地方紙に載った計算機の記事や、何か新しい商品に関する雑誌記事などを切り抜いては、名刺とともに送ってくれました。そしてまた、時おり顔を出しては計算機を購入し、おきまりの台詞を言うのです。保険に入りなさいと。

私もおきまりの台詞で返します。

「ご忠告には感謝するけれど――」

そんなある日、隣家の前でサイレンが聞こえました。何ごとかと覗いていると、ものの数分のうちに、隣人が白いシーツをかぶせられたまま担架で運ばれてきました。彼はその日の朝、重度の心臓発作で亡くなったのです。まだ四十代。私はそのとき三十六歳でした。

次の日、私はハワードに電話をかけました。

「どうだろう、保険について何度も話したけれど、家族と私の具体的な保険プログラムをそろそろ検討してみようと思うのだが」

私はとうとう保険契約に踏み切ったのです。ハワードの販売手腕？　粘り強さのたまもの？　おそらくそうでしょう。しかし、この経験から私が学んだのは、さまざまな商品を売るための本当に効果的な方法です。ハワードが成功したのは、私の心のなかに「種」をまいていたからです。保険とは何のためにあるのか、それを誰から買うべきか、よき友人、よき顧客とは？　そんなことに気づかせてくれる種を――。いつが購入時期なのか、それは私、ジョセフ・シュガーマンのみが知ることです。そして、身につまされるような経験をして初めて、私は保険の価値がわかりました。その経験が私を動かしたのです。

この例が示唆することは後にも一部ふれますが、ポイントは商品の本質ということです。商品にはそれぞれの本質があり、その商品に潜むマーケティングコンセプトを効果的に引き出すには、この本質を理解しなければなりません。たとえば、この保険の経験をもとに、私は防犯用アラームをいかに売ればよいかを悟りました。その結果、私の会社は防犯用アラームの売上高が全国一のレベルになったのです。

「マイデックス」というこのアラームの宣伝文をつくる際、私はハワードのことを思い出していました。人々を脅してアラームを買わせるのは、まるでハワードがやって来て「いざというときに、奥さんやお子さんを路頭に迷わせるつもりですか?」と言い募るようなもの。だとしたら、私はけっして保険に加入などしません。同じように、犯罪統計を持ち出したところで、防犯用アラームは売れっこないでしょう。

もし私が防犯用アラームを買うとしたら、まずその必要性を認識しなければなりません。たとえば、隣人が泥棒に入られただとか、近隣の犯罪数が増えているだとか、あるいは最近、高価な品物を買っただとか。

必要性を感じたら、自分の状況に適ったアラームを探すでしょう。まず重要なのは、きちんと作動するということです。結局のところ、アラームが活躍するのは一度きりという可能性は十分にあります。だから、最初で最後のその時に、きちんと作動するかどうかが問われます。

次に重要なのは、設置しやすさです。外部業者に頼んで家中にワイヤーを張り巡らすなどという手間がかかってはなりません。こうして私は、マイデックスの宣伝文を書く際に商品の信頼性をしっかり訴えるとともに、出荷前に各アラームの検査を徹底するようにしました。さらに宇宙飛行士のウォリー・シラーを起用して、マイデックスにとても満足していると語ってもらいました。

■他人を脅すな

私は犯罪統計を持ち出して、見込み客を脅そうとしたことなどありません。それではまるで、ハワードが私の家の地下室に来て、いつ死ぬかわからないのだから保険に入れとわめきたてるようなものです。私はただ、自分が売ろうとする商品の本質を理解し、商品の重要なポイントを消費者に示したうえで、彼らが何度も広告を見たり、他人事ではないと感じたりして購入に至るのを待ちました。

広告を切り抜いてファイルしておいたというお客様がたくさんいらっしゃいました。いよいよ危機感が迫ると、皆さん電話でご注文くださったのです。

幸い、広告掲載時に十分な引き合いがあったおかげで利益も出ましたが、掲載を打ち切って何カ月もたってから注文を受けるケースもありました。また、当時の電化製品の多くは発表後数カ月で陳腐化するのがつねだったにもかかわらず、売り上げが鈍るまでに三年以上も広告を掲載することができました。

一級の宣伝文を書くためには具体的な情報を入手して、売ろうとする商品の専門家にならなければならないとお話ししましたが、その好例がもうひとつあります。

一九七五年、米国でCB（市民無線）ブームがまさに始まろうとするころのことです。政府は当時、燃料の節約のために、全米中の道路の制限速度を引き下げていました。これは、長距離トラックのドライバーにとっては死活問題でした。そこで彼らはCB無線機を購入し、お互いに連絡をとりあったのです。

ドライバーたちは隊列を組んで走行し、警官を見つけたら、先頭の者が合図を送ります。CBはまたたく間に広まり、クルマを運転する者ならたいていはこれを購入するようになりました。全米で一種のブームが巻き起こったのです。CB無線機自体はそれほどの人気でしたから、予約なしには買えません。クルマから無線機を盗んでは転売し、がっぽり儲けるという輩《やから》も現れました。

アマチュア無線家の私は、無線通信の楽しさや、クルマに無線機を搭載するメリットを知っていました。私の一般的な知識です。そこで、みずからもそのブームを体験してみたくなり、CB無線機を買うことにしました。そうなればもう、ちょっとしたCB専門家です。CBの場合、マスターすべきことがアマチュア無線よりもはるかに少なくて済みます。ブームの初期のころ、私はシカゴで開かれた家電関連の展示会を訪れ、そこでマイク・ウェシュラーという販売員に出会いました。彼はある新製品を見せて言いました。

「これが小型トランシーバーです」

■商品の独自性を見逃すな

私はマイクから手渡された銀色の商品を眺め、小型トランシーバーといっても大したことはないと感じました。しかしマイクは、これには集積回路が内蔵されていると指摘しました。この種の新技術を使っている商品はほとんどなく、実際にそれは市場に出回っている他の商品よりも小さかったのです。

マイクがその特徴を説明すると、少し興味がわいてきました。かなり小さいのでシャツのポケットにも入ります。私はアマチュア無線の知識を生かして尋ねました。

「使用周波数は？　出力は？」

「二つの周波数があります。ひとつはどの周波数でも大丈夫ですが、もうひとつは二十七メガヘルツ帯に固定されています」

私は商品の実演をしようとするマイクに向かって言いました。

「二十七メガヘルツといえば、ＣＢの周波数のひとつに近いのでは？」

「はい。十二チャンネルですね。でも、ご心配は無用です。十二チャンネルではそれほど交信がありません。通常はトランシーバー用に確保されています」

マイクはまるで商品の欠点を指摘されたかのように、おずおずと答えました。

「いや、それはむしろ強みなんです」と私。

そして実際にそのとおりだったのです。私はこの商品を「ポケットＣＢ」と名づけ、三十九・九五ドル（約四千四百円）で二十五万個以上売ることに成功しました。大成功といってよいでしょう。私の一般的な知識と、このトランシーバーにまつわる具体的な知識とが相まったおかげです。他の人なら見過ごしたかもしれない独自性を発見することができたのですから。

商品を知り、顧客を知る大切さを認識しましょう。この具体的な知識こそが、あなたの思いを言葉にして伝えるうえで、途方もない違いをもたらすのです。

成功の秘密

セミナーの受講者たちには、お客を爆発的に増やす書き方、コピーライティングの定義について、真っ先に考えてもらいました。それは紙面に言葉を正しく書き表す能力のことなのか。それは教えることができるのか。優れた書き手になるには、どんなバックグラウンドが必要か。

それから私たちは、一般的な知識と具体的な知識について話し合いました。さらに、コピーライティングとはそれだけではない、と私は釘を刺します。

コピーライティングとは、いってみれば事実や感情を伝えるための文章術。それはメンタルな作業です。

私の場合、宣伝文を書いた状況はさまざまです。その多くは紙に書きはじめる前に熟考し、修正もほとんどなく流れるように完成させました。やはり流れるように書いたものの、大きく修正したため、最終稿が第一稿とは似ても似つかないこともありました。飛行機が離陸してから着陸するまでのあいだに「名文」を書き上げたこともあります。あるいはコンピューターを使って大きな成果を得たことも一度や二度ではありません。

■練習すれば必ず効果があがる

　これらの方法に共通するポイントは、コピーライティングとは、そもそも、〝自分の考えを整理したうえで、それを紙に書き出す〟というメンタルな作業だということ。ベストな方法というものはありません。あるのは、各自に適した方法だけです。

　しかし、まずはとにかくやってみること。それが一番です。紙とペンを手にして書いてみることです。何度も繰り返せば、必ず上達します。

　地元紙の記事を書いてみましょう。私のスタートは高校の学校新聞でした。それが経験となり、自信となりました。手紙やハガキを書いてみましょう。とにかく機会を見つけて書くことです。

　JS&A社を立ち上げたばかりのころのダイレクトレスポンス広告（イメージ広告などとは違って、実際のレスポンスを獲得するための広告）を見ると、自分がそれを書いたとはにわかに信じられません。まったくお粗末な代物です。でも、書くたびに私は学習し、上達しました。最初のころは月並みな文句を使ったものです。

　たとえば「世界が待ち望んでいた商品です」とか——。文章もいまほど流暢ではありませんでした。場数を踏むだけで驚くほどの効果があがるのです。カーネギーホールの舞台に立つことを夢見る人に対しても言うではありませんか。「練習、練習また練習」と。

■なんでもいいから紙に書け

文章を書くときに理解すべきもうひとつの事実は、最初の案はひどい出来であることが多いということ。

コピーライティングの真髄は、その草稿を練り上げることにあります。言葉を加えたり、文章そのものを削除したり、文章や場合によっては段落の順序を変えたり……。いずれも大事な作業のひとつです。

私はよく受講者たちに言いました。もし、ここにいる全員がある商品広告の草稿を書くという課題を与えられたら、私の第一稿が誰よりもひどい出来になるだろうと。第一稿のあとに行う作業こそが効果を生むのです。

第一稿での目標は、商品やサービスについて伝えたいと思う感情のほとばしりを、なんでもよいから紙に書きつけてみることです。文章表現は気にしなくてもかまいません。まずはパソコンのキーボード、原稿用紙などに思いのほどを実際に書きとめることからスタートしましょう。

コピーライティングとは何かについて、私は以下のような原則を受講者たちに示しました。

◆ルール1◆

コピーライティングを成功させるには、これまでの経験、具体的な知識、そして商品サービスを販売するために、そこから得た情報を頭のなかで処理して文章にする能力が重要である。コピーライティングとはメンタルな作業である。

本書では、お客を爆発的に増やす文章を書くこと——つまりコピーライティングという作業に関する知識を広げるための貴重なテクニックを伝授します。あなたもきっと、人々にアクションを起こさせるような文章——具体的にいえば、苦労して稼いだお金をあなたの商品サービスと交換してもらえるような文章を書くことができるはずです。

私が極めたダイレクトマーケティングというビジネスにとって、コピーライティングは成功のカギを握っていました。どんなに見事な商品やサービスがあっても、それをうまく伝える文章力がなければなんにもなりません。

私はみなさんに、お客を爆発的に増やすために必要なスキルやノウハウをお教えします。私自身、最も高くつく「授業」を受けてきました。私がやらかした失敗やそのコスト、たいていはそうした失敗から学んだノウハウ、宣伝、広告やマーケティングで積み重ねた経験——それらを総合すれば、いかに高くつく教育だったかがおわかりいただけるでしょう。

あなたはそれをまさに共有しようとしているのです。

読ませる秘密

それではいよいよ、私が用いるテクニックを学んでいきましょう。幅広い一般知識をそなえるのが重要なことは、すでにご承知のはずです。また、自分が携わるプロジェクトに関する具体的な知識を得ることも重要です。

しかし、ここから学ぶのは、私のコピーライティング手法を理解し、成功者になるために必要な具体的知識です。

以降の章では、いくつかの「原則」を示します。いずれも私の「哲学」を理解するうえできわめて重要です。本章で示す原則はとくに大切で、なおかつ最初はとても信じられないかもしれません。その考え方を理解し信頼することができれば、今後の文章技術の基礎を築くことができます。

私は、主に広告における文章術、コピーライティングの手法を取り上げますが、このテクニックはあらゆる宣伝文やＰＲ、プレゼンテーションに使える手法です。

以下に示す「ＣＢ無線機」の広告をご覧ください。これは、紙面（誌面）広告のほとんどが持つ要素をそなえています。

本章最初の原則を理解するために、私は受講者たちに広告の各要素の目的を定義してもらいました。最終的な定義は以下のとおりです。

❶【キャッチコピー】……読者の注意を引き、リードへと導く。
❷【リード】……さらなる情報を提供し、キャッチコピーに説明を加える。
❸【写真・図版】……読者の注意を引き、商品をより鮮明に提示する。
❹【キャプション】……写真や図版を説明する。重要な要素であり、読者もここはたいてい読む。
❺【コピー】……商品やサービスに関する主な販売メッセージを伝える。
❻【小見出し】……コピーを細分化し、威圧感を弱める。
❼【ロゴ】……商品を販売する企業の名称を示す。
❽【価格】……商品やサービスがいくらするかを読者に知らせる。
❾【注文方法】……クーポン、フリーダイヤルなどを用いた広告への応答の仕方を知らせる。広告の末尾近くにあることが多い。
❿【全体レイアウト】……各要素を効果的に際立たせるグラフィックデザインを用い

て、広告の外観全体を整える。

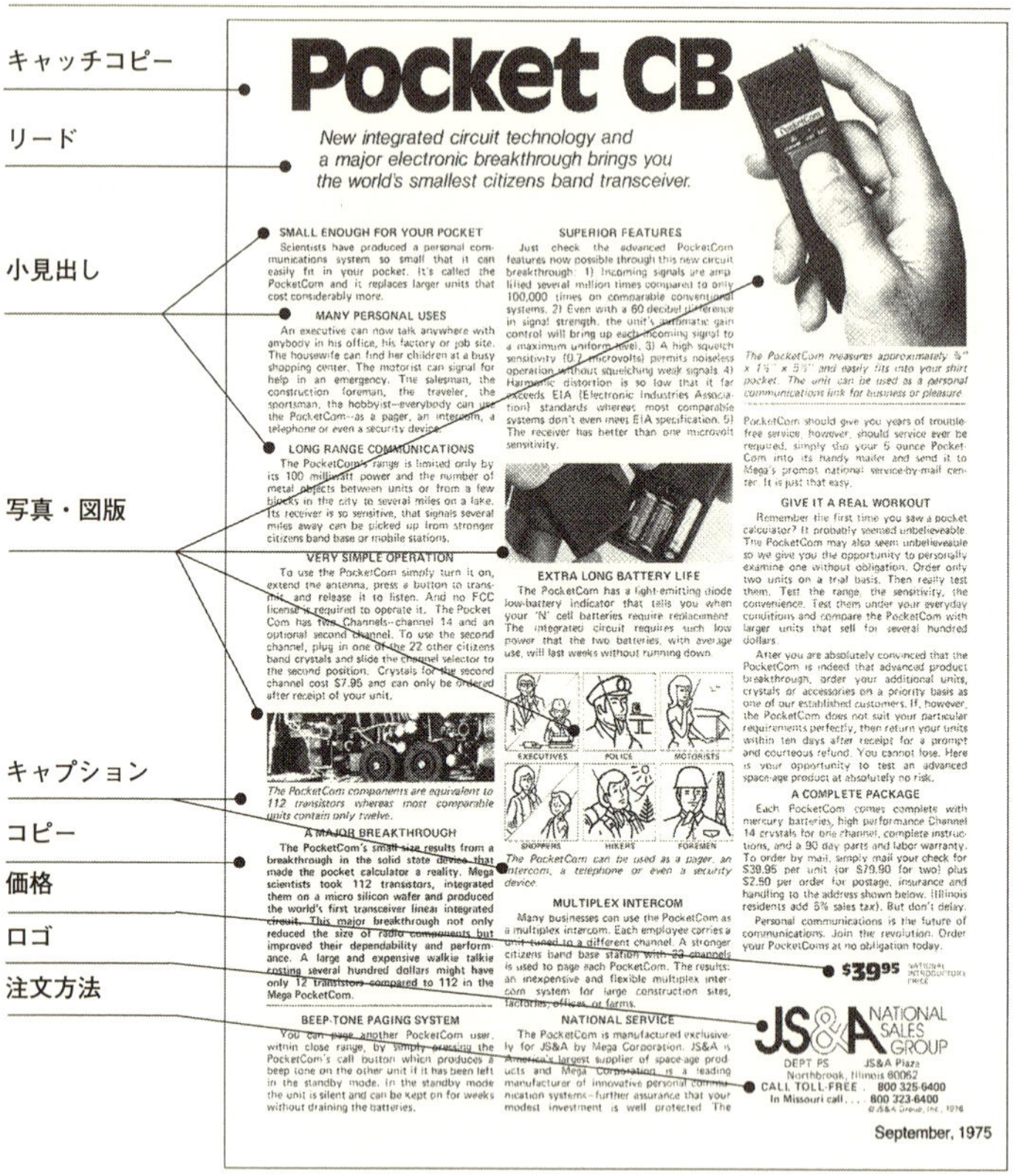

広告を構成する宣伝文の各要素を受講者たちが理解したところで、私は彼らに言いました。宣伝文のあらゆる要素に共通する目的がひとつある、と。それはたいへん重要な目的であり、私のコピーライティング手法に欠かせないコンセプトのひとつとなっています。

この広告に引きつけられた読者は、まずページ上部などの写真を見ることでしょう。次にキャッチコピー、リードを読み、それから商品を販売する企業の名前に目をやるでしょう。写真や図版のキャプションを読み、商品を注文するためのフリーダイヤルの存在に気づくでしょう。

広告全体ではレイアウトに注目し、各所に配された小見出し、文字や印刷の魅力に気づくかもしれません。

コピーを読む前に注意を引かれる要素がたくさんあるのです。しかし、優れた書き手になるための最も重要な原則のひとつは、次のようなものです。

◆ルール2◆

コピーの第一センテンスを読ませる。広告のあらゆる要素はそもそも、このたったひとつの目的のために存在する。

ここでたいていは、受講者たちの顔に困惑の表情が浮かびます。広告のそれぞれの要素には独自の存在理由がある、と考えていたからです。ところが私は言います。「そうではありません。どの要素も、第一センテンスを読ませるという、ただそれだけのために存在するのです」

あなたの言い分はこうでしょう。「キャッチコピーはどうなるんだ？ 少ない字数でそれ自体に効用があるはずではないのか？ それから――」まあ、お待ちください。ひとまずは、各要素には第一センテンスを読ませるという唯一共通の目的がある、という私の言葉をお聞きください。質問はなしです。結論を急いではなりません。ともかく、この原則をよく覚えておいてください。

つまり、「シュガーマンの手法では、リードの目的は何か？」と誰かに聞かれたときに、「さらなる情報を提供し、キャッチコピーに説明を加えることだ」と答えてはならない、ということです。

そうした存在理由には、**「リードの目的は、読者に後のコピーを読ませることである」**という事実ほどの重要性はありません。

もし誰かに「広告におけるロゴの主な目的は？」と問われたら、「商品を販売する企業の信頼を確立すること」と答えることもできれば、「一定の継続性を提供すること」と答えることもできるでしょう。しかし、本当の答えは**「読者にコピーを読ませること」**なのです。嘘ではありません。

眉唾だ、とおっしゃることなかれ。いまにわかります。私の申し上げることを謙虚に受け入れてくだされば、それが正しいと、いずれご認識いただけるはずです。

しかし、何よりも重要なのは、この原則を自覚し、それを念頭に広告を制作すれば、驚くほど結果が違ってくるということです。ともかく、だまされたと思ってこの原則を信じてみてください。後ほど証明してご覧に入れますから——。

第一センテンスの秘密

あらゆる販促をするツールの目的が、読者にコピーを読ませることだとすれば、それはとりもなおさず最初のセンテンスを読ませるということです。つまり第一センテンスがきわめて重要だということです。第一センテンスが重要だとすれば、もちろん広告を見た人がそれを読んでくれなければ困ります。最初の文を読んでくれなければ、おそらく次の文も読んでくれません。

では、第一センテンスが重要だとして、それを読ませるにはどうすればよいでしょう？ シンプルで関心を引き、読者がひとり残らず読みきってくれるようなセンテンスにするには？

短くせよ。それが答えです。

ＪＳ＆Ａ社の典型的な宣伝文は第一センテンスが非常に短く、ほとんど「文」の体裁さえなしていません。たとえば以下のような具合です。

減量はたやすくありません。
コンピューター嫌いのあなた。
それは簡単です。
それは起こるべくして起こりました。
ＩＢＭに脱帽です。

どのセンテンスも短くて読みやすいので、読者はほとんど吸い込まれるようにコピーを読みはじめます。機関車にたとえてみましょう。発車する際の機関車はフル稼働です。車体を動かすのに必要なエネルギーや集中力は半端ではありません。しかしいったん動き出すと、徐々に進行はラクになります。コピーの場合も同じです。

■記事に引き込むテクニック

多くの雑誌記事がこのテクニックを応用しています。ごく短いセンテンスというよりも、大きな文字で記事を始めるのです。読者がいったん吸い込まれるように記事を読みはじめ、ページをめくれば、文字はもう小さくなっています。でも、それでかまいません。読者を記事へと引き込むための仕掛けだったわけで、すでに成功です。さらに読みつづけさせ、ページをめくらせるのは、筆者の力量です。

宣伝文の場合、読者が商品に本当に関心を持っていないかぎり、さまざまな「逆境」が伴います。また、読者が商品に関心を持っているなら、彼らをしっかり「つかまえて」おかなければなりません。ですから第一センテンスを短く読みやすくして、読者を引きつける必要があるのです。長い言葉は禁物です。短く心地よく。文として不完全なくらいを心がけて。そのほうが次の文を読んでもらえます。

宣伝文のあらゆるパートが第一センテンスを読ませるために存在するとしたら、この第一センテンスの目的は何でしょう。

「ベネフィット（便益）を伝えたり、特徴を説明したりする」と考えたなら、失格です。短い第一センテンスがそれを読ませる以外に何ができるでしょう？　そう、もちろん正解は「第二センテンスを読ませる」です。それ以上でもそれ以下でもありません。おそらくすでにお気づきだったはずです。

■次のセンテンスの目的

そろそろ私のコピーライティング手法にも馴染んでこられたあなた。「第二センテンスの目的は？」と聞かれて「第三センテンスを読ませること」とお答えになったなら、大正解です。不正解だった方も、次に「第三センテンスの目的は？」と聞かれて「第四センテンスを読ませること」とお答えになったなら、おめでとうございます。もう大丈夫ですね。

それらのセンテンスはベネフィットになにかしら言及していたでしょうか。商品内容や商品特性については？　もちろんノーです。宣伝文の最初の数センテンスは、次のセンテンスを読ませることだけが目的です。たしかに、どこかの時点で商品の特徴やベネフィットについて語りはじめなければなりません。

しかし、宣伝文の最初の部分では、どんな犠牲を払ってでも読者の注意を引きつけることが肝心です。この事実を忘れると、読者が関心を失って離れてしまいます。ですから、第三の原則は以下のようになります。

ルール3

宣伝文の第一センテンスの唯一の目的は、読者に第二センテンスを読ませることである。

対面でものを売る販売員のケースと比べてみましょう。もしプレゼンテーションの最初の数分で見込み客が眠ってしまったり、プレゼンテーションを聞くのをやめて立ち去ったりすれば、元も子もありません。コピーライティングも同様で、読者が最初の数センテンスの一語一語に注意を払ってくれなければ、以降の「売り文句」を読んでもらえる望みはほとんどありません。

私が成果をあげた広告も、わずかな例外を除けば、ほとんどがこの方式に倣《なら》っています。宣伝文の最初に売り文句を持ってくるのはどうでしょう。もちろん可能ですが、たいていはあまり効果が望めません。

私は試しに広告の初めに売り文句を持ってきたことがあります。本書のあらゆる「秘策」を試して、私の見解が間違っていることを証明しようとしましたが、そのたびにうまくいきませんでした。

いずれにしても、宣伝文のあらゆる要素の目的はただひとつ、読者に第一センテンスを読んでもらうことだと肝に銘じてください。その第一文は読みやすくして、読者を引きつけましょう。これをものにすれば、しめたもの。コピーライティングという説得作業は好スタートを切り、それをよく理解したことになるのです。

滑り台効果の秘密

ここまで、コピーライティングに関する重要なポイントをいくつか学んできました。まず、あなたにはさまざまな行動や環境、性格を通じて得た一般的な知識があるということ。また、調査力や読解力など、具体的な知識を得るためのツールもあなたには与えられています。それから、実践や練習こそが偉大な教師であることを学びました。書けば書くほど上達するのです。最後に、コピーライティングとは、頭のなかのアイデアを文章にするというメンタルな作業であることを学びました。

そこからはシュガーマン独自の世界へと入っていきました。キャッチコピーやキャプションといった広告の要素がどんな役割を果たすと思われているのかを学び、次にそれらの主な目的がじつは「読者に第一センテンスを読ませること」だと学びました。

そしてまた、覚えておられるでしょうか、第一センテンスの唯一の目的は第二センテンスを読ませることであり、第二センテンスの唯一の目的は第三センテンスを読ませること、第三センテンスの唯一の目的は第四センテンスを読ませることでした。印刷広告と対面販売の比較も行いました。

さて、読者は宣伝文の最初の数センテンスを読み、心地よさや共感を覚えています。ここで登場するのが「滑り台効果」と呼ばれる重要なパートです。

すべての要素に説得力があるので、読者はいつの間にか滑り台を滑り落ち、最後まで止まることができない。

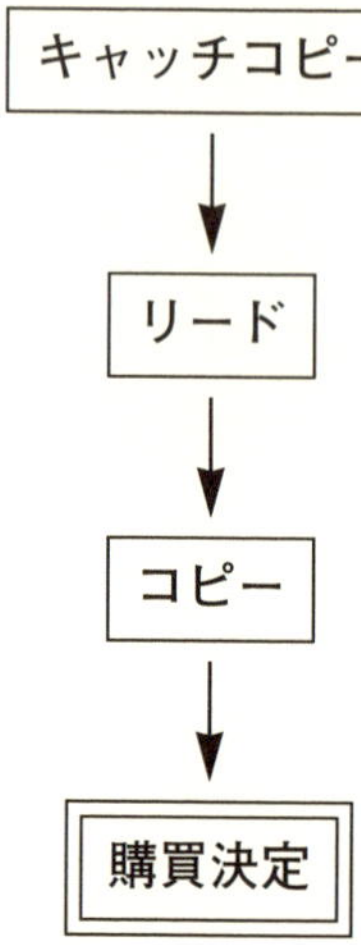

公園にある急な滑り台を思い描いてください。次に手すりも含む滑り台全体に、誰かが

ベビーオイルかグリースを塗ったとします。あなたは階段を上って滑り台のてっぺんに座り、重力にまかせて滑り降ります。

滑り出すと勢いがつくので、両サイドにつかまって止まろうとしますが、止まることができません。滑り落ちないように奮闘するものの、ひたすら滑りつづけるばかりです。コピーの文章はこのように進行しなければなりません。

宣伝文のすべての要素は、この滑り台効果を引き起こす必要があります。キャッチコピーに説得力があるからリードを読み、リードに魅力があるから第一センテンスを読む。第一センテンスが読みやすくて魅力的だから第二センテンスを読む……といった具合に、コピーの最後まで連鎖するのです。

■滑り台効果で「トラフィック」をもたらす

私はかつて『サイエンティフィック・アメリカン』誌の読者から、私たちのサーモスタットの広告に関する手紙を受け取ったことがあります。タイプで打った手紙の差出人の女性は、次のように書いていました。

「私はサーモスタットを必要としていませんし、それに関心もありません。そもそも広告はめったに読みませんし、読むとしてもざっと目を通す程度です」

ところが、彼女はこう続けました。「私は忙しい科学者です。貴社の広告を読みはじめたところ、すべてを読み通し、貴重な時間を五分もムダにしてしまいました。あまりのムダに憤慨を抑えられず、苦情の手紙を差し上げた次第です」

セールスライターとして、これほどありがたい苦情はありません。

雑誌を斜め読みする人の大半に宣伝文を読ませることができれば、全員とはいわないまでも、かなりの比率で販売に成功するでしょう。滑り台効果を使えば、広告に「トラフィック」をもたらすことができます。つまり読者に宣伝文全体を読ませ、購入の意思決定をさせるというわけです。

「トラフィック（集客）」というのは小売りの世界で歓迎される言葉です。トラフィックの増加に成功したショッピングセンターは、必ずといってよいほど各店舗の売り上げが増加します。ただ、こうした各店舗の集客は、広告でいえば実際にコピーを読んでくれる人にすぎません。ですから、最大部数を誇る雑誌でも広告が成功するとは限らないのです。

トラフィックとは厳密にいえば、あなたのコピーに入り込む読者の数です。「入り込む」とは、コピーの最後まで滑り台を滑り落ちることをいいます。

読者が宣伝文にうまい具合に足をかけてくれれば、滑り台効果の創出はさほど難しくありません。

実際、宣伝文の四分の一以上を読めば、最後まで読む確率が高いというデータがあります。ですから、広告の最初に素晴らしい環境を整えて読者をつかまえ、魅力的な第一センテンスを読ませることができれば、彼らは滑り台を滑りはじめたも同然です。

■知りたくてうずうずする仕掛け

この何年かに私が書いた宣伝文のなかから、滑り台効果の実例を見てみましょう。さきにサーモスタットの広告を引き合いに出したので、まずはそれから。以下のようなキャッチコピー、リードで始まります。宣伝文の出だし二段落も示しました。

【キャッチコピー】マジック・ナンセンス

【リード】私たちが「マジック・スタット」と呼ばれるサーモスタットを評価しなかった理由にご賛同いただけるはずです。驚くべきことが起こるまでは――。

【写真キャプション】デジタル式の計器表示もなければ、不格好なケースに、ばかばかしい名前。ほとんど嫌気がさしました。

【コピー】よくあるセールストークを予想されているなら、お門違いです。これから私たちはマジック・スタットがいかに優れたサーモスタットであるかを説明するのではなく、これを徹底的にこき下ろそうというのですから。
初めてマジック・スタットに出合ったとき、その名前をひと目見て「がっくり」。プラスチックケースを見て「なんて安っぽい」。そして、デジタル表示を探しても見当たらず……。販売員が使用方法を説明する前から、私たちはうんざりしていました。

もしこの宣伝文を読まれているとしたら、あなたは滑り台をすでに滑りはじめ、もう止まることはできません。サーモスタットを買う気などなくても、いつの間にかコピーを読まれているでしょう。知りたくてうずうずしているのです。どういう仕掛けなのでしょう。非常にすっきりしたレイアウトで環境づくりを行いました。宣伝文のトーンは、口が悪くて疑り深い会社が、あまり感心しなかった商品を売ってみようとしている——そんな感じです。

もちろん引用部分以降では、何点か長所を見つけ、これはという優れた特徴を発見し、ついにはマジック・スタットが優れた商品であると認めることになります。宣伝文の最後は次のように結ばれます。

見た目はものの真価とは無関係です。名前もさほどの意味はありません。しかし、もっと印象のよい名前にしてほしかったものです。たとえば「トゥインクル・テンプ」のように――。

この宣伝文は三年以上も掲載され、私たちの会社を潤わせてくれたばかりか、マジック・スタットのメーカーを全国有数のサーモスタット開発業者として知らしめたのです。やがて三年間にわたる販促活動が終了すると、私は同社のオーナーから電話をもらいました。多大な売り上げと知名度アップに対する感謝の電話です。

「JS&Aの存在がなかったら、当社はスタートを切ることすらできていなかったと思います」

「ところで」と彼は付け加えました。「今度、二千万ドル（約二十二億円）で当社をハネウェルに売却しました。これからはハネウェルの全米セールスマネジャーと取引いただくことになります」

滑り台効果のもうひとつの例は、私自身が立ち上げたコンシューマーズ・ヒーローという会社の宣伝文です。「掘り出し物」を扱う会社です。

雑誌をめくっていたら次のような宣伝文に出くわしたとします。

【キャッチコピー】 **「盗品」売ります**

【リード】 消費者重視の新しいコンセプトが登場。リスクを冒す気があれば、盗品を買うことができます。

【強調コピー】 **足がつく心配はご無用。保証あり。当社の盗品は新品同様で、かつてのブランドや持ち主が知れることはありません。**

たいていの読者ならコピー本文を読まずにはいられないでしょう。

【コピー】 画期的な消費者マーケティングコンセプトが新登場しました。その名も

「盗品購入」。そう、盗品です！

　それでは聞こえが悪いので、事実をお話ししましょう。消費者はいまや奪われてばかりです。インフレに購買力を奪われ、ドルの価値は下がる一方。哀れな一般消費者は略奪され、踏みつけられています。

　そこで哀れな消費者は反撃に出ます。まずは消費者団体の結成。ワシントンでロビー活動をし、物価上昇と戦います。求めるのは「価値」です。

　そこで私たちは価値を前面に新たなコンセプトを生み出しました。つまりこういうことです。裕福な企業から盗み出し、恵まれない消費者に還元する。環境保護にもつながるし、うまくいけばお金儲けにもなる——と。


　このあと、コンセプトの詳細が説明されます。不良品を買い取って修理し、入会金五ドル（約五百五十円）のクラブを通じて消費者に提供するというものです。加入者には商品紹介のニュースレターが送付されます。宣伝文の終わり近くでは、それを見事にまとめています。

以上が私たちのコンセプトです。「粗悪なガラクタ」をリサイクルし、まっさらな商品へと変身させます。それも五年間の保証付き。裕福な企業から盗み出し、恵まれない消費者に還元します。一生懸命汗をかき、名誉ある利益を得るのです。

以上の二例は、私が長いあいだに活用した滑り台効果の数ある事例の一部にすぎません。キャッチコピーを読めば、おのずと第一センテンスへと引き込まれ、もはや滑り台から脱出することはできません。いつの間にか滑り台の終点に達し、宣伝文を読了しているというわけです。

あなたは私の店に入り、商品を入念にチェックし終わるまでは店を出なかったのです。あるいは、私はプライベートルームにあなたを招待し、商品を実際に披露しました。あまりの説得力にあなたは心を動かされ、商品を購入しないわけにはいかなかったのです。しかも私は、誠実かつ正直にそれを実行しました。あなたは納得ずくで購入したのです。

以上が滑り台効果——読者にすべてのコピーを読ませるテクニックです。それを原則として示せば、このようにシンプルなものになるでしょう。

◆ルール4◆

あたかも滑り台を滑り落ちるように、コピーを最初から最後まで読ませなければならない。

好奇心の種の秘密

「トラフィック（集客）」が小売業にとってのキーワードであることを、私たちはすでに学びました。トラフィックの増加に成功したショッピングセンターは、必ずといってよいほど各店舗の売り上げが増加します。こうした各店舗の集客は、宣伝文でいえば見込み客にコピーを読ませることに相当しますから、読者数を増やせばトラフィックは増加します。

読者数を増やすひとつの方法に、私が「好奇心の種」と呼ぶものがあります。パラグラフの最後に、次のパラグラフを読む気にさせるごく短いセンテンスを挿入するのです。たとえばこんな具合に――。

しかし、それだけではありません。

続きは次をご覧ください。

これで終わりではありません。

ご説明します。

ここからが重要なポイントです。

たとえコピーの勢いがなくなってきた箇所でも、好奇心の種があれば、読者は無意識のうちに読みつづけることになります。これはテレビでよく使われる手法です。コマーシャルの前にショーの司会者が言う、あれです。「このあと、テレビ初公開の映像をお届けします。チャンネルはそのままで」

印刷媒体でも使わない手はありません。その理由はこうです(これも好奇心の種ですね)。印刷媒体では、おもしろくて魅力的なコピーだから好奇心の種など要らないというのが理想ですが、実際はそうも言っていられません。こうした好奇心の種を使うことで、たいていのコピーは強化されるからです。ただ、どんな場合もそうですが、やりすぎは禁物。適度に使ってこそ効果的です。

■読者が入り込まざるをえないようにする

好奇心の種にはまた、もうひとつのやり方があります。広告の最初に使って、いずれ説明するベネフィットや利点を言及するというものです。つまり、読者はそれを探すために広告を全部読まなくてはなりません。

このテクニックの好例が、前項でふれたコンシューマーズ・ヒーロー社の広告です。すべてを読まないと肝心要《かなめ》の内容がわからないという広告でした。

小売業におけるトラフィックという考え方を理解し、それとダイレクトマーケティングとの関連を理解すれば、広告コピーをすべて読ませるうえで、滑り台効果がいかに重要かがわかるはずです。そして、その滑り台を最も滑りやすくするためのテクニックのひとつが、好奇心の種なのです。

読者はあなたのコピーに入り込まざるをえません。キャッチコピーを読み、それに導かれてリードを読みます。それからさらに第一センテンスを読みたくなります。その後もぐいぐい引き込まれ、広告の半分を読み進むころには滑り台効果から抜け出すことができない——それがめざすところです。

滑り台効果と好奇心の種を理解されたあなたは、コピーライティングの最も強力なツールを二つ手に入れたことになります。

◆ルール5◆

好奇心をかきたて、コピーの魅力を維持し、読者を引きつけるべし。

コンセプトの秘密

私が伝授するコピーライティング原則のなかでも、最も重要で基本的なことをお教えするのが本章です。実際、この点さえ理解できれば、お客を爆発的に増やす文章を書くためのコツをひとつ身につけたといえるでしょう。

◆ルール6◆
つねにコンセプトを売ること。商品やサービスを売るのではない。

「コンセプト」とは何を意味するのでしょう？　同じことを意味する言葉はたくさんあります。たとえば、かつて広告界を賑わせた業界用語に「ポジショニング（位置づけ）」というのがありました。商品は消費者にアピールするような方法でポジショニングされるのです。

そのほか同じように使われる言葉には「ビッグアイデア」や「ＵＳＰ（ユニーク・セリング・プロポジション）」があります。「ギミック」もそうでしょう。どう呼ばれようと基本的には同じ意味です。ステーキではなくジュージューというシズルを売るのです。すなわち商品ではなくコンセプトを――。

このルールの唯一の例外は、商品がユニーク、または目新しいため、商品そのものがコンセプトになるという場合です。

たとえばデジタル時計。それが世に出たてのころは、在庫はほとんどなしの状態でした。初めてデジタル時計の広告を出したとき、私はそのさまざまな特徴を説明し（どれも目新しいのです）、あとは注文をとるだけでした。

しかし、デジタル時計が世の中にあふれ、その機能や使い方を誰もが知るようになると、各広告は独自のコンセプトでその特徴を際立たせなければなりませんでした。たとえば、世界一薄い、アラーム内蔵、高価なベルト付き、最高の品質、はたまた製造工程にレーザービームを要する……といった具合。

いずれも異なるコンセプトです。デジタル時計はコンセプトで売れるようになったのです。商品そのものは、もはやコンセプトではありませんでした。

ポケットＣＢも同様です。コンセプトはまさに「ポケットＣＢ」というキャッチコピーのなかにありました。世の中にはトランシーバーもあれば、モバイルＣＢもありましたが、私たちは初のポケットＣＢを手にしていたのです。名称そのものが、コンセプトを表現していました。

じつは、マーロン・ブランドから直接電話をもらったことがあります。ポケットＣＢについてもっと詳しく知りたいと彼は言いました。私のオフィスから十キロと離れていないシカゴ近郊のリバティービルにいるというのです。妹さんがそこに農場を持っておられるとのことでした。「よろしければ無料でひとつお持ちください。スタッフもあなたにお会いできれば光栄でしょう」と私は言いました。でも、プライバシーを重んじた彼は、私たちのオフィスに現れることはありませんでした。

その他の例としては、これも私が販売した煙探知機が挙げられます。これを煙探知機として売り出す代わりに、キャッチコピーはただひとこと、「においます」としたのです。天井にちょこんと座って、空気のにおいを嗅ぐ――そんな商品です。売れ行きは上々でした。

■商品とコンセプトを組み合わせる

コンセプトは商品からおのずと湧き出ることもあれば、つくり上げることもできます。

かつて私は、あまりコピーをつけずに、商品をカタログで紹介したことがありますが、そのうち二つがとくによく売れました。それぞれ別々の全面広告を出すよりも、あるコンセプトを象徴するひとつの全面広告で、二つの商品を並べようと決心したのです。

それは、小型の旅行用目覚まし時計とチェスコンピューターです。それぞれのコンセプトを考えるのではなく、私は「ウィナーズ（勝者）」というキャッチコピーを書き、両者が当社カタログで最も売れ筋の商品だと述べました。このキャッチコピーが両商品をウィナーズという共通のコンセプトでくるとともに、カタログへの注目度を高めたのです。

チェスコンピューターの売り上げが引き続き好調だった一九七八年のこと、香港にあるこの商品の輸入元企業から私宛てに電話がありました。電話の主は担当者で私の友人でもあるピーター・オージュです。

「ジョー、いい考えがあるんだ。ソ連（当時）のチェスチャンピオン、アナトリー・カルポフにわれわれのチェスコンピューターを推薦してもらってはどうだろう？　彼とはコネがある。チェスコンピューターの売り上げがうんと伸びるんじゃないかな」

たしかにそうだ、と私は思いました。だが待て、カルポフをからめたコンセプトを考えようではないか。たんなる商品の推薦者ではなく、私たちの商品との対戦を挑む相手として――。

そして、実際に私たちは実践したのです。カルポフの名前を使った最初の広告には「ソ連への挑戦」というキャッチコピーが躍りました。

【キャッチコピー】**ソ連への挑戦**

【リード】アメリカのチェスコンピューターはソ連のチェス王者を破れるか？
アメリカの最新技術とソ連の心理兵器が対決！

【コピー】ソ連はチェスをたんなるゲームではなく一種の心理兵器だと考えています。

それは共産主義文化と西欧文化の軋轢《あつれき》の象徴です。

ですから、ソ連のアナトリー・カルポフが同国から亡命したビクトール・コルチノイと対戦したとき、催眠術師や神経心理学者などなど、彼には国を挙げての支援が提供されたのです。

そしてカルポフは勝利しました。押しも押されもせぬ世界チャンピオンの座に就いたのです。しかし彼は、アメリカの最新テクノロジー、とくにＪＳ＆Ａの新しいチェスコンピューターとはまだ対戦していません。

もちろんこのあと、カルポフに挑戦するというくだりが続きます。それがコンセプトです。私たちはチェスコンピューターを売っていたのではありません。ソ連のチェスチャンピオンに対する挑戦を売り、その結果としてチェスコンピューターを売っていたのです。おかげで商品の重みが増し、プロモーション全体のアピール力も高まりました。

広告はその後、商品の機能や特徴について説明し、最後にまたカルポフに対する挑戦で締めくくられます。

■コンセプトを売れば成功する

この広告が全米で掲載されたころ、オフィスにいる私に海外から至急電報が届きました。カルポフからです。「許可なく私の名前を使ったかどで訴える」アナトリー・カルポフと署名もあります。

友人のピーターによれば、許可は出ていたはずです。いずれ契約書を送るから、ひと足先に広告を掲載せよとのことでした。私はそのとおりにしたまでです。

さて、どうすべきでしょう。簡単です。次回の広告のキャッチコピーが私のなかでは浮かんでいました。「ソ連がJS&Aを告訴」それとも「大国ソ連が小企業のJS&Aを攻撃」――なんと素晴らしいコンセプトでしょう。しかし、その宣伝文に手をつけないうちにピーターから電話がありました。彼も電報のコピーを受け取ったので、さっそくカルポフのエージェントと話をつけた。すべては丸く収まったので心配ないとのこと。カルポフはチェスコンピューターを推薦してくれるから、広告キャンペーンは続行できると――。

私はそこでシリーズ三作目となる宣伝文を書きました。題して「カルポフも承認」。カルポフに挑戦したが、理由はともかく、彼はその挑戦を受けてチェスコンピューターでプレーすることをよしとしなかった。ただ、カルポフはわれわれのチェスコンピューターを推奨してくれた。多くのアメリカ人がこれを使ってチェスの腕前を上げてほしいと願っている――そんな内容です。

広告は三つとも大成功で、二万台以上のチェスコンピューターが売れました。三つの広告はいずれも違うコンセプトです。そうこうするうちに、同じくチェスコンピューターを売ろうとする競争相手が雨後《うご》のたけのこのように出現しました。しかし、成功する者はありません。なぜなら、彼らは「ソ連への挑戦」や「カルポフも承認」といったコンセプトではなく、チェスコンピューターそのものを売ろうとしたからです。

あなたの宣伝文が、ただ商品を売る宣伝文だとしたら、要注意。コンセプトが必要です。ユニークなコンセプトに思い至ったなら、しめたもの。引く手あまたになること請け合いです。

■価格を変えるだけでコンセプトに変化が起こった

商品の価格を変えるだけでコンセプトが劇的に変化することがあります。たとえばポケットCBですが、三十九・九五ドル（約四千四百円）で売っていたときは、CBラジオのような本格的電化製品として受け止められました。価格を二十九・九五ドル（約三千三百円）に下げると、ハイセンスなトランシーバーという感じになりました。そして十九・九五ドル（約二千二百円）にまで落とすと、ポケットCBは玩具と見なされました。いずれも広告コピーはほとんど同じなのに、です。

コンセプトを探すのはなかなか容易ではありません。適切なアイデア、適切なポジションを見つけ出すには概念的思考のスキルが必要です。レオバーネットという広告代理店が出した広告があります。本章の核心をよく理解した、私のお気に入りの広告のひとつです。それは『アドバタイジング・エージ』誌の全面広告として掲載されました。以下をご覧ください。

トクダロプ

広告代理店の第一の仕事は、あなたのプロダクト（商品）を可能なかぎりあらゆる角度から見ることです。正面、背後、側面から。あるいは逆さま、裏返しにして。なぜなら、まさにプロダクトそのもののなかに、その潜在的な購入者に訴えるドラマが潜んでいるからです。

プロダクト本来のドラマを浮き彫りにするための方法は、何万通りもあるかもしれません。類似商品がネズミ算式に増えるなか、このドラマを見つけ出すのは、ますます困難な状況かもしれません。

たしかに困難です。

しかし、優れたプロダクトには必ずそれがあります。

そして、優れた代理店は必ずそれを見つけ出すのです。

まさしくそのとおりです。どんな商品にも、ほかにはない独自の売り（ＵＳＰ）があります。この事実に気づき、それぞれの商品の独自性を見つけるのが、ほかならぬあなたの仕事です。それができれば商品のポジショニングやコンセプトが力強さを増し、天と地ほどの違いが生まれることになるでしょう。

全部読んでもらう秘密

滑り台効果、好奇心の種……どれも巧みなコンセプトですが、セミナーではよくこんな質問が出ます。読者は宣伝文を全部読んでくれるだろうか？

ダイレクトマーケティングを学ぶ受講者は、長すぎるコピーというものはないと教わります。これはあながち嘘ではありません。

問題は次のことに尽きます。あなたが求める行動を読者が起こしてくれさえすれば、コピーが長すぎるということはない。

ですから、コピーは退屈であってはなりません。魅力的で読者を共感させ、読者の関心を引かなければなりません。

これはとりもなおさず滑り台効果のコンセプトです。最初から最後まで読みきってもらえる魅力的なコピーでなければならないのです。他は二の次です。魅力的なコピーを書かなければ、肝心の売り文句の部分を読ませることができないからです。

読者は長いコピーを読むか。その答えとして、ちょっとした体験をしてもらいましょう。以下はある記事のキャッチコピーです。指示に従って空欄を埋めてください。

（　あなたの名字　　）一家、巨額の財産の相続人に選ばれる。
（　あなたの住所　　）に住む一家が、匿名の人物から財産の遺贈を受けた。

地元紙でこのキャッチコピーを見つけたら、あなたは記事の第一センテンスを読まれるでしょうか？　もちろんイエスでしょう。記事は以下のように続きます。

なんという幸運！　知りもしない人から何億円もの財産を相続するとは。
その幸運の主は（　　あなたの氏名　　）さん。どんな人かはわかりませんが、いずれにしても匿名の人物から途方もない額の財産を受け取ることになります。

あなたはもちろん三千語の記事をすべて読まれるはずです。記事はあなたのことを書いています。あなたは記事に引き込まれ、そこに書かれていることに大いにはまってしまいます。有益だし興味深いのです。とくにあなたにとって。

長いコピーについて私が言いたいのはそこです。私が述べた条件をすべて満たすコピーであれば、読者は大きな関心を寄せ、すべて読み通してくれるでしょう。おそらく、巨万の富を得た幸運な人間としての興奮からというよりは、効果的なコピーにつきものの熱情にかられて――。

■読者が強い関心を持つテーマを見つける

私は本書をＭａｃで執筆しています。ちょっと前、ワープロソフトの使い方を学ばねばならず、このコンピューターに強い関心があったころは、Ｍａｃに関するものなら手当たり次第に読みました。自分が関心のあるテーマなら、広告であれ記事であれ全部読んでしまうでしょう。その後、ワープロをマスターすると、以前ほどの関心はなくなり、情熱も薄れました。

商品でも同じことです。デジタル時計が登場したころ、顧客は鵜《う》の目鷹の目でこぞってそれを購入しました。彼らは私が書いたコピーを一言一句読んでくれました。それは有益な情報であり、彼らの関心の的でした。デジタル時計市場が低調になってブームが去ると、顧客の関心は熱が冷めたように別の商品へと移っていきました。読者の数が減ったのはいうまでもありません。

コピーに関心があれば、読者はそれを全部読む。

読者が関心を持っていれば、コピーは読まれます。一九五〇年代のこと、私はクルマのショールームを訪ねては、テールフィンが巨大で、いかしたデザインの新車を眺めていました。広告に出てくる「ラックアンドピニオン・ステアリング」（ステアリングの回転をステアリングシャフトの先端にあるピニオンギヤでラックギヤに伝達して舵《かじ》を切る）の意味がわからず、前々から思いをめぐらしていたのです。

コピーは一から十までいわばドライビング感覚について語っていました。それはそれで感覚に訴えるいいコピーなのですが、私には不十分でした。そういうとき、人はショールームに出向いて質問します。おそらくは自動車会社が望んだように。

とはいえ、販売員もたいていは知りませんでした。ラックアンドピニオン・ステアリングは彼らにも馴染みがなかったのです。

ショールームへ足を運んだ経験から学んだことがあります。見込み客が本当に関心を持っているテーマについては、十分に語り尽くすことはできないと。コピーライティングでも同じです。いずれにせよ、読者が真に関心や情熱を持っている事柄について語れば、彼らはきわめて熱心に読んでくれるものです。

■十分に長く、しかし十分に短く

コピーにはストーリーや売り文句全体を語るための長さが必要です。それより長くてもいけませんし、短くてもいけません。もちろん現実的な長さの制限はあります。しかし、それさえも絶対ではありません。

通販業界屈指のコピーライターであるゲーリー・ハルバートは、ガールフレンドを募集するために、三千語に及ぶ全面広告をロサンゼルスの地元紙に掲載しました。デートの申し込みが殺到したそうです。

あるいはリチャード・デルガウディオの場合。自身のファンドレイジング企業のアシスタント募集のために四千語もの広告を出したところ、面接しきれないほどの適任者が応募してきたといいます。

■長いコピーと短いコピーを使う理由

結果が出るならコピーの長さに制限などありません。たとえば、ある販売員が十分のセールストークで二千円の家庭用品を売り、別の販売員は一億円の印刷機を数カ月かけて売ったとします。どちらが優秀でしょうか？　もちろん答えられません。両者とも優れているかもしれませんし、両者とも下手くそかもしれません。

では、なぜコピーの長さについてとやかく言わなければならないのでしょう。あなたはもう認識されていると思いますが、印刷媒体による販売は訪問販売に非常に似ています。だとすれば、同じルールが適用されてしかるべきではないでしょうか。

そこで、長いコピーの必要性を高める二つのファクターを見てみたいと思います。

価格ポイント（商品が売れる価格）……価格ポイントが高ければ高いほど、価格を納得させたりニーズを生み出したりするためにコピーの分量が必要となります。これは一般的なルールです。

価格ポイントが途方もない価値を持つと見なされる場合（このときはコピーを短くするほうがよい）、価格ポイントが低いため信頼性に欠けると思われる場合（このときはコピーを増やさなければならない）は話が別です。

コピーを長くすれば商品の価値を高め、販売価格を高めることができます。つまり消費者を「教育」することで、商品に高い値段をつけることができるのです。

珍しい商品……商品が珍しければ珍しいほど、その商品をユーザーに関係づける必要がありますし、購買環境を整え、商品の新たな特徴を説明することに重点を置かなければなりません。小売店ではふつうこの手の商品は売れません。

コピーの分量が適正であれば、通販こそ適役です。

まとめると、長いコピーを使う理由は二つあります。第一に、見込み客をその気にさせる環境づくりができること。第二に、商品のストーリーを十二分に語るだけの時間がとれることです。

イギリスの通販会社、スコットケード社のロバート・スコットは、セミナーの席上、自分のやり方が、私の説くルールをことごとく破っていると言いました。彼のカタログのコピーは非常に短いのに、売れ行きは順調だったのです。

しかし見たところ、彼のカタログは私のルールを守っていました。まず、写真による環境づくり。良質の写真を使ってエレガントな雰囲気を醸し出しています。それから、他社や他店よりもはるかに低い価格。これほどの低価格で商品を提供し、そのうえ顧客をその気にさせる環境が整っているので、本来はコピーが担うべき役割の多くをビジュアルや価格ポイントで実現していたというわけです。また、彼の媒体はカタログです。カタログの場合はたいてい長いコピーを必要としません。カタログそのものが環境をつくるため、コピーによる環境づくりの手間が省けるのです。

長いコピーを使えと無理強いするつもりはありません。私も短いコピーを使うことがあります。時によっては本当に短いものを——。

しかし、短いコピーを使うのはその必要があるからです。価格ポイントが低いから、短くてもことが足りるのです。

実際には、私は長いコピー支持でも短いコピー支持でもありません。私がこだわるのは、見込み客が汗水たらして稼いだお金をあなたの商品やサービスと交換してくれること。そして率直なところ、コピーの長さというのは、広告をつくるうえで考慮すべき点のひとつにすぎないのです。

本章で頭に入れる原則は次のようにシンプルです。

◆ルール7◆

コピーには、読者に必要なアクションを起こさせるだけの長さが必要である。

読者はコピーをすべて読んでくれるでしょうか。読んでくれる人はいます。十分にいるからこそ、効果が表れるのです。

順序の秘密

お客を爆発的に増やす文章を書くための準備もいよいよ整ってきました。あなたは商品について知ることがいかに重要であるかを学びました。宣伝文のあらゆる要素に共通の目的が「第一センテンスを読ませること」だと学びました。そして、第一センテンス以降、最後の一句まで宣伝文を読ませるための原則を学びました。

コピーにはまた、流れが必要です。それも、きちんと筋の通った流れが――。それぞれの内容が次へと論理的につながる、わかりやすい順序が要求されます。

私の宣伝文を読んでいて何か疑問が浮かぶと、次のセンテンスがそれに答えている。多くの人たちにそう言われたことがあります。それは神業《かみわざ》に近い、と彼らは一様に言います。しかし、それこそが、ダイレクトレスポンス広告の優れた書き手を訪問販売員の羨望の的たらしめるスキルなのです。

■私たちが望む質問を相手がしたくなるようにする

私たちコピーライターは見込み客に目の前で質問してもらうことができません。ですから、（コピーの流れによって）私たちが望む質問を見込み客がしたくなるようにしなければなりません。難しそうですが、じつはそうでもありません。

まずキャッチコピーを書きます。読者の心をとらえるでしょうか。次にリード。読者はさらに読み進みたくなるでしょうか。それから写真を思い描いて、そのキャプションを書きます。これらはすべて第一センテンスを読ませるだけの説得力があるでしょうか。そして、第一センテンスを書きます。

私の思考プロセスをたどりはじめると、あなたはこれまで、コピーを書く際に経験したことのない規律や方向性に気づかれるでしょう。

あるパラグラフを太字にして目立たせることもできます。前出のコンシューマーズ・ヒーロー社の広告のように。こんな具合です。

足がつく心配はご無用。保証あり。当社の盗品は新品同様で、かつてのブランドや持ち主が知れることはありません。

セミナーでは、さまざまな受講者にそれぞれのキャッチコピーを読んでもらいました。そのうえでクラス討議を行い、私たちみんながリードを読みたくなるかを判断します。ありとあらゆる職業の十八名の受講者が、各種テーマに関する最も創造的なアプローチを考え出すという有意義な作業でした。

ある日のこと、八歳になる娘のエープリルが席についていました。ノートをとりながら熱心に聞き入っています。要するに受講者そのものです。私は子どもたちにはいつもクラスへの自由な出入りを認めていましたし、彼らが邪魔になることはけっしてありませんでした。じつのところ、受講者たちはこうした家庭的な雰囲気がお気に入りでした。

■優れた宣伝文は年齢を問わず、誰でも書ける

私が宣伝文執筆の課題を出し、誰かそれを読んでくださいと言うと、エープリルが片方の手を大きく振りはじめました。私はウール関係の仕事をしているニュージーランド出身の男性、アーチー・メーソンを指しました。誰か次の希望者に読んでもらおうとすると、またしてもエープリルが手を大きく振りましたが、私はオマハステーキの社長、フレッド・サイモンを指しました。

たまりかねたエープリルは教室の前の私のところまで来て、こうささやきました。「パ

パ、私の宣伝文を読ませて。いい宣伝文だから。パパが教えたことにぴったりよ」
私は困ってしまいました。「あとでね。クラスのみんなに教えているんだから」

休憩時間になると、エープリルは私のところに来て自分の宣伝文を手渡しました。私は目を通しました。

ところがそれは、消費者が質問しそうなことを予想し、それに答えるという、まさに見本のようなものだったのです。とてもシンプルでした（八歳の子が書いたのですから）が、それはQ&A形式をとり、同じ八歳の子どもが読みたがるような話を扱っていました。彼女が売るのはモルモット。宣伝文は以下のとおりです。

【キャッチコピー】**ベスト・ペット**
【リード】**毛がぬけないペットはいりませんか？**
【コピー】考えてみてください。毛がぬけない、家のなかを走りまわらない、世話がしやすいペットが手に入ります。
たぶんウサギや鳥、魚、カメだと思ったのではないでしょうか。でもちがいます。モルモットです。

モルモットはどうやって世話をしたらいいか知りたいですか？　どこで飼えばいいか。何を食べるのか。

どれもかんたんです。モルモット用のおりがないときは、モルモットが出られないくらい高くて、走りまわれるくらい広いはこをよういしてください。

モルモット用のペレットと、新せんな野菜を少しあげてください。ビニールをしき、そのうえに新聞をしいて、かんなくずをさいていニ・五センチしきます。食べ物のさらと飲み水を入れます。

知っておくのはそれだけです。ご注文はいますぐ（　電話番号　）まで。


エープリルの宣伝文は、ある重要なことを立証していました。

以来、私はことあるごとに受講者たちに念押ししています。優れたコピーはどんな年齢でも、誰でも書けるのだと。ただ原則を理解し、それをあなたが直感的に知っていることに適用するだけです。

■自然に「購入への納得感」へと導く

私は受講者たちにキャッチコピーを書き、リードを書くように言いました。それから第一センテンス、第二センテンスというふうにして宣伝文を完成させます。

宣伝文は紙のうえで流れるように文字にしなければなりません。いったん紙面に書きつけたら、編集作業がきわめて重要になります。この作業で私がアドバイスしたことのひとつは、**コピーの論理的な流れや必ず出そうな質問をブロック図で表してみること**です。

この感覚を磨くには、企業フローチャートのように、宣伝文をいくつかの短いコピーブロックに分解します。ただし、このフローチャートは下向きの一方通行です。

バリー社のピンボールゲームの宣伝文をブロック図にしてみました（九十五ページ参照）。そのなかで私は、宣伝文の最初に読者を引き込み、それから商品にふさわしい環境を設定しようと考えました。そこで、この商品らしい楽しい雰囲気の幕開けとしました。宣伝文は以下のように始まります。

コンピューター嫌いのあなた。コンピューター式ピンボールマシン「ファイヤーボール」を手にしたら、そのスリルとアクションは驚くばかりですよ。

ファイヤーボールのコンピューターは、従来のピンボールマシンのメカニズムやスコアリング、電化製品、検知機能の多くに取って代わるもの。まさしくピンボールゲームの劇的な変身、新たなコンシューマー電化製品革命の始まりです。

最初のパラグラフでこの商品に対する「興味とワクワク感」をつくり出します。次のパラグラフでは商品の「ドラマ」、ファイヤーボールと従来のピンボールゲームとの違いを語りはじめます。

さらに、なぜどのように「違う」のか、「遊び方」、コンピューターゲームがもたらす「独自性」を説明します。

ここまで読んだ読者は**必然的に、ゲームの成り立ち、品質、目新しい特徴などをもう少し知りたくなります**。ですから次のブロックにはこの情報を盛り込みます。

オーケー、あなたはこのゲームの購入にかなり関心が出てきました。でも、こう考えるでしょう。「どうしたら納得できるのか？　ファイヤーボールはほしい。気持ちは前向きだけれど、どうしたら納得して購入に踏み切れるのか？」

そこで次のブロックでは「**購入への納得感**」を醸成しなければなりません。私はテレビやビリヤード台、ステレオシステムとのコスト比較を行いました。急な来客があったときの実用性について、あるいはパーティーや一家団らんの際に引っ張りだこになるということについて、種をまいておきます。このとき私は、見込み客が情緒的な購入決定に必要とする論理・理屈を提供しているのです。さらに私は、企業が従業員の娯楽用に購入することもできると提案し、それが投資税額控除や減価償却費になると述べました。いずれも節税の手段となります。六百五十ドル（約七万円）を払ってもらうために、ありとあらゆる理屈を提供する必要があったのです。

そろそろ顧客はこうつぶやいているはずです。「オーケー、ファイヤーボールがほしいし、お金を出すことにも納得できる。でも、使っているうちに飽きて、部屋のすみで埃をかぶっているあの運動器具みたいになったらどうしよう?」

そこで私は、ファイヤーボールには「永続的なプレーバリュー」があることを説明します。飽きることがない理由をいくつか挙げます。

ここまでくると顧客は思うでしょう。

「うーむ。商品は気に入ったし、購入にも納得がいくし、永続的なプレーバリューがあることもわかった。でも、この大きなピンボールゲームを買って、コンピューターが突然故障したらどうしよう?」

そこで、広告のなかで「アフターサービス」に関する質問を投げかけ、それに答えます。

これらのコピーブロックのひとつひとつは、まるで見込み客が次に問う内容を予想するためとでもいうように、論理的につながっていることがポイントです。そのすべてが、あなたのつくった環境のなか、宣伝文の最終パートまで論理的に連なり、ここでいよいよ「注文」となるのです。

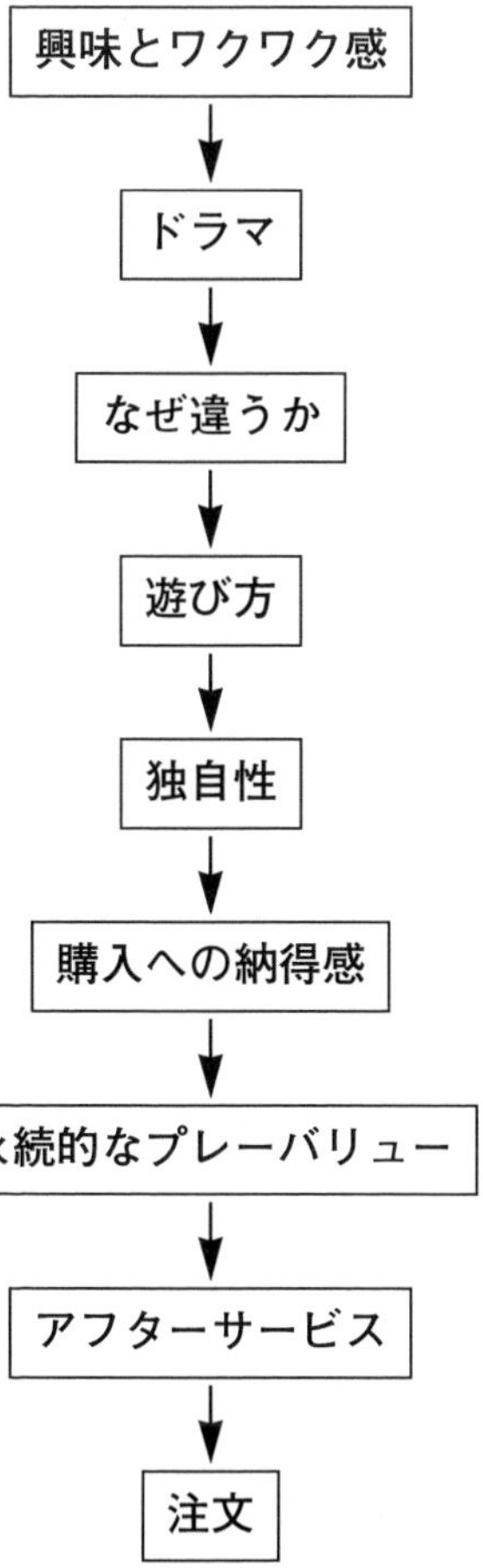

コピーの順序に関するフローチャートは下向きの一方通行。

■筋の通った流れか確認する

長いあいだセールスライターをやっていると、流れは自然に湧き起こります。フローチャートは不要です。直感的に次の質問を知り、これに答えることができます。それは優れたセールスライターが身につけた、訪問販売員にはない特殊なスキルです。質問を感じ取り、それに答えるのです。それも大々的な規模で――。

それでもやはり宣伝文を書いたあとに、そのブロック図を作成して、流れが適切か、正しいタイミングで正しい質問がされているかを確認するのが有効でしょう。文章のなかでどのように質問を並べるべきか。文章の最初の部分でどのような環境をつくるべきか。対面販売を行っているとしたら、商品に関して必ず出る質問はどのようなものか。

どれもまったくの常識です。パソコンモニタや紙のうえに流れ出るコピーを眺めるのは機械的な作業。さほど重要ではありません。コピーライティング作業のこの段階で本当に重要なのは、次に何を聞かれるか、文章はどのように流れるべきかという順序立てを見きわめるために用いる常識なのです。ここから次なる原則が導かれます。

◆ルール8◆
コピーで提示するアイデアには論理的な流れが必要である。見込み客の質問を予期し、あたかも面と向かっているかのようにそれに答えなければならない。

本章の主なポイントは、宣伝文を組み立てる際の基本的なステップ、思考プロセスです。大事なのは、見込み客と向かい合っていない以上、彼らが発するであろう質問を、極力その順番どおりに予測しなければならないということです。

この流れは重要です。しかし、よい書き手と悪い書き手の分かれ目となる重要な作業がほかにもあります。それは編集作業と呼ばれます。次章で詳しくご説明しましょう。

編集の秘密

本章で伝授するのは、効果的で説得力のある文章を書くための極意中の極意のひとつです。なぜなら、この編集作業を経て初めて、手つかずの感情のほとばしりが、見込み客と完璧に共振《きょうしん》する、洗練され調和のとれたメッセージへと変身するからです。

ダイヤモンドと同じです。ダイヤモンドは最初、まるで石炭か炭素の塊です。その真っ黒で不格好な石ころを磨けば、たちどころに世界一美しい宝石の原石となるのです。

私がクラスのみんなにこう言ったのを覚えておいででしょうか。クラス全員で広告制作の宿題をやったら、おそらくは私の第一稿が最もひどい出来だろうと。英語の先生なら、お粗末な文法、間違いだらけのスペル、支離滅裂な文章構造だと酷評するでしょう。

しかし肝心なのは、そのあとの作業です。それがもたらすのは、何も手を加えない文章と洗練された宣伝メッセージとの違いです。見込み客の心を動かすことのない文章が、見込み客を動かし、汗水たらして稼いだお金をあなたの商品やサービスと交換させる文章へと変身します。いってみれば、サラリーマンの文章と、何億というお金を稼ぎ出す有能な企業家的文章との違いなのです。

■編集に可能なアプローチ

編集にはコツがあるでしょうか？　それはやはり、コピーライティングそのものと同じくメンタルな作業です。多くの鍛練を要しますが、文章をゼロから書くよりは簡単です。実際、むしろ楽しい作業でもあります。第一稿の執筆はいわば出産だとお考えください。苦しく長い時間がかかることもあれば、ほとんど苦しまずにあっさり済むこともあります。他方、編集作業は育児にたとえられます。子どもが健康、幸福になるように面倒を見るわけです。

自分の子どもがおかしな服装で出かけたり、他人とコミュニケーションがとれなかったりするのを望む親はいないでしょう。ですから、人前に出しても恥ずかしくないように、子どもを育てなければならないのです。

編集とは育てる作業です。育児に絶対の方法がないように、宣伝文の編集にも可能なアプローチが数多くあります。編集にあたって私がめざす結果がひとつありますが、それは以下のようにまとめることができます。

◆ルール9◆
編集作業では、言いたいことを最少の語数（字数）で表現できるようにすべし。

シンプルだと思われませんか。でも、これが編集作業のエッセンスです。文章を書いたときの感情、感覚、思考プロセスは同じままに、ただ最少の語数でそれを表現するのです。たとえば、よりストレートに考えが伝わるように言葉を並べ替える。宣伝文の全体的な雰囲気に関与しない言葉を削除する。考えを表現するのにもっとふさわしい言葉に置き換える。場合によっては、考えを明らかにするために言葉を足すことだってあるでしょう。いずれにしても、宣伝文を書く際のゴールは、伝えたいことを最も説得力のある方法で、しかしながら最も少ない語数で表現することなのです。

かつて"Success Forces"という本を執筆したときのことを思い出します。書籍なので宣伝文を書くときほどの制約がなく、ラクに取り組むことができました。実際問題として、ダイレクトレスポンス広告のコピーを書くことに比べたら、他の執筆作業はどれもずっと簡単です。伝えたいことを表現するのに、いくら字数を使ってもよいのです。スペース上の制限もありません。

■コピーにはスペースの制限がある

しかし、宣伝文の場合はスペースの制限が厳然として存在します。コピーの目的は、見込み客が苦労して稼いだお金を商品やサービスと交換してくれるようにする、という一点。すべてはそのゴールへとつながらなければなりません。

私が書いたある宣伝文を例にとりましょう。最初の二つのパラグラフを比べた場合、第一稿は百七十三字、最終稿は百十一字。この二つを検討するとわかることがあります。ヘルスメーターの広告です。第一稿は以下のとおりです。

> ダイエットはたやすくありません。誰もがそう言います。
> トライされたことがあるなら、おわかりでしょう。優れたダイエットプログラムに必要なのがヘルスメーターであると。ヘルスメーターは成績表のようなものです。それは、あなたに成果のほどをフィードバックしてくれます。ダイエットの数少ない楽しみのひとつは、ヘルスメーターに乗ってその好結果を目にすることです。

では、意味や雰囲気はそのままに、同じ宣伝文の字数を減らしてみましょう。

ダイエットはたやすくありません。誰もがそう言います。
ダイエットの数少ない楽しみのひとつは、ヘルスメーターに乗って好結果を目にすることです。ヘルスメーターは成績表のようなもの。あなたに成果のほどをフィードバックしてくれます。

第一パラグラフを除いて第二パラグラフだけで考えると、百四十七字から八十五字に減っていることになります。字数をほぼ三〇%減らしながら、最終稿の意味やアピールは第一稿とまったく変わりません。むしろ第一稿よりよくなっているほどです。
たとえば三千字程度の全面広告にこの比率を当てはめてみれば、編集作業のもたらす違いがよくわかるでしょう。では、その利点は何でしょう。

■少ない語数の利点とは何か

コピーが少なければ宣伝文の威圧感が減り、見込み客にとって読みやすくなります。第二に、滑り台効果もその効力を増します。見込み客は滑り台の下により早く到達し、なおかつ販売メッセージのインパクトはまったく変わらないからです。

右の例はセミナーでも使いました。受講者たちはおよそ二十分かけて自分なりの編集を加えました。優秀な作品が多く、なかには私より短いものもありました。もちろん、これは宣伝文の一部分であり、商品に関する私の環境設定やゴール、情緒的アピールがどんなものであるかを見通すことはできません。したがって、必ずしも完璧な例とはいえないでしょう。ただそれは、優れた編集とは何かという原則をたくさん教えてくれます。そうした原則のいくつかを次に挙げました。

■編集上のいくつかの原則

❶ リズムを重視する。

センテンスの長さを変え、単調に聞こえないようにします。リズムについては次章でお話しします。

❷ センテンスをまとめる。

第一稿の「ヘルスメーター」は成績表のようなものです。それは、あなたに成果のほどをフィードバックしてくれます」という表現を、編集版では「ヘルスメーターは成績表のようなもの。あなたに成果のほどをフィードバックしてくれます」と短縮しました。わずか数文字減っただけですが、それでも意味がある作業です。

❸ **不要な語をとる。**

「ヘルスメーターに乗ってその好結果を目にすることです」の「その」をご覧ください。こうした語を省いても意味は変わりません。したがって編集版では「ヘルスメーターに乗って好結果を目にすることです」となります。

❹ **順序を変える。**

第一稿ではヘルスメーターは成績表だと指摘したうえで、ダイエットの楽しみのひとつはヘルスメーターに乗って好結果を目にすることだと続けました。この順序を入れ替えることで、もっと感情に訴える広告になります。まず、ダイエットでヘルスメーターを使う楽しみに焦点を当て、次にその理由を説明するのです。流れという点では、このほうがより魅力的で論理的です。

■必要なだけ時間をかける

編集とは育児のようなもので、時間がかかることがあります。最終稿までに作成する草稿が十に及ぶこともあるでしょう。一方で、頭のなかでできあがったコピーがすらすらと文字になり、実際の修正はほとんどないという場合もあります。

グレープフルーツのマーケティングを手がけるフランク・シュルツが私のセミナーに出てから書いた有名な広告がありますが、これはほぼ完璧で編集作業など必要としませんでした。

“The Lazy Man's Way to Riches”の著者、ジョー・カルボがセミナーで語ったところによると、彼の広告は修正がわずか二語、最初から完璧に近かったといいます。これとは逆に、コピーライティングの経験が豊富な参加者でも、編集に多くの時間を割くことがありました。

私の場合もそうです。ペン（後にはコンピューター）を通じてコピーが流れるように出てきて、編集がほとんど要らないこともありますが、たいていは満足するまでに数種類の草稿を重ねます。

ここで経験則をひとつ。書けば書くほど編集の必要は減ります。頭のなかからアイデアが湧き出やすくなればなるほど、コピーの情感や一語一語の持つ感動を表現できるようになるのです。

宣伝文を書きはじめた人は、文章を磨き上げるために編集作業が必要ですが、経験豊かなコピーライターの場合は編集メカニズムの多くが頭のなかにプログラムされています。経験のみが築くフィルターを通じて、コピーが流れ出てくるかのように――。

とはいえ、経験があっても編集の必要性は予測できない側面があります。編集がたくさん必要なコピーができることもあれば、結果的に編集がほとんど要らないコピーができることもあります。

> 不要な語を削除しても意味が通じるように。

■時間をおいて客観的にチェックする

一九七〇年代にコピーライティングに深くかかわるようになったころ、私はメモ帳とボールペンを使って手書きでコピーを書いていました。それを秘書に渡すと、ダブルスペース（一行おき）でタイプしてくれます。

次にその草稿に編集を加え、秘書にタイプし直してもらいます。デザインに回す最終稿となるまでに、この作業を何回か繰り返していました。

編集作業で有効なテクニックのひとつは「時間をおく」ことです。編集後のコピーを寝かしておいて、翌日あるいは数日後に眺めれば、以前は気づかなかった発見があるものです。時間が限られている場合は、しばらくたってから再度目を通してみましょう。要は潜在意識があなたの書いたコピーをよく飲み込み、なおも改変が必要な部分を見つけ出すだけの時間を確保するということです。

その他にも編集上の多くのルールが、語学のテキストブックやスタイルブックの類に載っています。編集作業について述べた良書はそれらに限りません。私の場合、コピーライティングにおける編集の重要性に気づかせてくれたのは、大学で読んだある本です。私はいま、その本の権利を取得しようとしています。将来的にはマーケティングに関する私の編著書のひとつに加わるかもしれません。

最後に、何ひとつ修正が必要ないと思う最終稿が仕上がったら、それを専門の編集者や語学専攻の学生に渡して、表現や文法上のミスなどを直してもらいましょう。ただ、彼らが指摘する変更点をすべて受け入れる必要はありません。

もちろん、見込み客にネガティブな印象を与えかねない誤字脱字や文法上の大きな誤りは直すべきですが、それ以外は変更案をひとつひとつ検討して、あなたの文体にとかく口を出すようなものは（文法上のミスや誤字脱字がないかぎり）無視してかまいません。修正したらどうかと言われても、納得できなければ恐れをなす必要はないということです。

本章でお伝えしたのは、編集作業の重要性、最終コピーという意味での編集の価値、そして私が編集時に用いる諸原則です。

さて、あなたはすでにコピーライティングのプロセス全体を知り、広告の執筆と編集ができるようになったはずです。そろそろ高度で興味深いコピーライティングのノウハウを学ぶとしましょう。第二部では、何年もの経験を通じて私が習得した貴重なノウハウを具体的に伝授します。

第2部

最高の成果をもたらす44のテクニック

いよいよお楽しみのパートとなりました。以下の各章では文章を書く際のノウハウやコツに加えて、私の三十年のお客を爆発的に増やす書き手としての経験を通じて、ことのほか奏功した実例をお話しします。

第二部には章が四つしかありません。しかし、これらの章には本書のエッセンスが詰まっています。すなわち私が書く文章の基礎、私のコピーライティングの秘訣です。私が莫大なコストをかけて身につけたそうしたノウハウを、あなたは本書の価格を払うだけで学べるというわけです。

第二部では四十四――二十二の文章のポイントと購買を引き起こす二十二の心理的トリガー――の知恵を学びます。私のセミナーの参加者は、この四十四の知恵のうち、だいたい六つか七つは知っていましたが、知らなかったポイントには驚きを隠せませんでした。またその他の章は、信じられないほど効果的な文章を書くための基盤の強化に役立ちます。

では引き続き、確かなコピーライティングの基礎を築いてゆきましょう。

反応に差がでる22のポイント

前項で宣伝文全体の構成要素について検討したのを覚えておいででしょうか。そのどれもが見込み客に第一センテンスを読ませるという共通の目的を担っていると学びました。第一センテンスがいかに重要かということも学びました。

こうした構成要素がすべて読者に第一センテンスを読ませ、ひいては全文を読ませるためのものであると理解したならば、次に学ぶべきは宣伝文にひそむさまざまな文章の要素のポイントです。

本章では文章のあらゆる要素と、それらが宣伝文といかに関係するかをご説明します。ひとつひとつの宣伝文を書くうえで確認すべき、二十二のポイントを順に見てゆきましょう。

❶ 書体を工夫する

これはとても大切な要素です。グラフィックデザイナーであれば、書体にはそれぞれの個性、感情、読みやすさがあることを承知しています。ここで言いたいのはまさにその点です。個性と読みやすさのバランスを考え、宣伝文を読みやすく魅力的にしなければなりません。

キャッチコピー、リード、小見出しなど、本文以外に使う書体の読みやすさも大切です。奇をてらった書体はデザイナーにはよくても、読めなければ無意味です。まるで外国人と話すようなものです。書体が担う最も重要な役割は、最大限のわかりやすさを実現すること、次に（重要性はずいぶん劣りますが）企業イメージを伝えることです。

❷ 第一センテンスを読みたいと思わせる

これは前項で、宣伝文全体を構成する各要素の目的として学びました。つまり、何にも増して重要な、この第一センテンスを読者に読ませることが、すべての構成要素の目的であると。第一センテンスは短く読みやすくして、読者に次のセンテンスを読ませなければなりません。

❸ 第二センテンスで読みつづけたいと思わせる

第二センテンスは第一センテンスと同じく重要です。読者の関心を持続させるために、やはり読みつづけたいと思わせる文にしなければなりません。この流れは第一～第二パラグラフを通じて持続させる必要があります。事実やベネフィット、商品特性の説明はあとでもかまいません。とにかく読みたいと思わせ、購買に適した環境をつくることです。

❹ 小見出しの工夫

前項で小見出しは、宣伝文全体の構成要素のひとつとして紹介されています。期待されるのはコピーの威圧感を弱め、読者にコピーを全部読ませることです。しかし小見出しは、本章でふれるべきコピー要素のひとつでもあります。

小見出しは以下に続く事柄の導入部となることもあれば、以下に続くコピーや宣伝文全体のコピーとなんら関係がないこともあります。前に述べたように、小見出しはコピーを細分化し、抵抗を減らします。商品の販売や紹介とはほとんど無関係です。ただコピーの魅力を高め、読者に読む気を喚起させるのです。

ひとつのパラグラフのように延々とつながったコピーを目の当たりにしたら、さまざまな小見出しで細分化されたコピーに比べて読む気がそがれるでしょう。

小見出しは各段の最初や最後ではなく中ほどで使うようにします。

私の考えでは、小見出しでは何を言ってもかまいません。以前、レーダー速度計の広告を掲載したときのこと、私はこれでもかというほど、とんでもない小見出しをテスト的に使ってみました。いわく「スクランブルエッグ」「仕事と遊び」「成功と幸運」など。これらの小見出しは宣伝文とはまったく無関係だったにもかかわらず、いっさい注目されませんでした。この意味は何かとか、コピーと合わないとか言ってくる人は皆無でした。しかし、本文で一語でもスペルミスをしていれば、抗議や問い合わせが殺到したことでしょう。

小見出しの第二の目的は好奇心を刺激することでしょう。「スクランブルエッグ」という小見出しがまさにそうかもしれません。好奇心にかられた読者は、いったいスクランブルエッグがこの商品となんの関係があるのかと思ってコピーを読みはじめるのです。これが事実かどうかを確かめたことはありませんが、私の経験に照らすと、好奇心うんぬんはさほど重要な役割ではなく、やはり主な目的はコピーを読む抵抗を減らすことです。

❺ 複雑な商品はシンプルに説明する

ごくシンプルで基本的なことだとお考えでしょうが、じつは多くの宣伝文が「商品を説明する」というこの単純なステップを忘れています。このときの原則は、複雑な商品はシンプルに、シンプルな商品は複雑に説明することです。

たとえば、私はかつて煙探知機を販売したことがあります。当時はもう家庭に普及しており、消費者はその機能を理解していました。つまりシンプルな商品だったわけです。ある高級ブランド向けに書いた広告で、私はその煙探知機の内部について語りました。金接点（他の探知機にも採用されていました）について述べ、煙の有無を判断するためのコンパレーター回路の機能についても説明しました。この煙探知機は相場より十ドル（約千百円）高かったものの、売れ行きは上々でした。

シンプルな商品を複雑に説明するというお手本です。消費者がよく知っているシンプルな商品はもっと複雑な方法で売り、複雑な商品はきわめてシンプルに売る必要があります。

コンピューターを顧客に初めて紹介したころは、その効用をとてもシンプルに説明したものです。広告では内部の技術についてはふれず（多少は言及しましたが）、商品とその使い方がいかに簡単であるかを強調しました。当時は消費者がコンピューターに親しみはじめたばかりのころ。コンピューターはまだまだ目新しく、使い方が複雑な印象でしたし、多くは実際に複雑でした。基礎的な用語でとてもシンプルにコンピューターを説明することで、私はその販売を容易にすることができたのです。

後にコンピューターが浸透して必需品になると、それを詳しく説明するのが効果的になりました。

以上に加えて、商品の特徴をすべて説明したかどうかを、つねに確認しなければなりません。「見込み客に商品を十分説明したか?」と自問してください。何人もの人にコピーを読んでもらい、商品やその特徴がわかったかどうかを聞いてみるのもよいでしょう。彼らの質問から、あなたの説明が十分だったかどうかがわかります。

❻ 新しい特徴を強調する

商品やサービスの他にはない特徴を強調します。前述の「商品説明」と同じようにも思えますが、そうではありません。商品のたんなる特徴ではなく、市場にある他の商品とは一線を画すような特徴を明らかにするのです。

❼ 技術説明で広告を強化する

どんな商品やサービスでも、技術的な説明をすることで宣伝文は強化されます。私たちは尊敬・信頼できる「専門家」からものを買いたいと思うもの。購買とはまさに信頼に基づく行為なのです。買い手の思考プロセスはこんな具合でしょう。「この業者はよくわかってものを言っている。この分野のことを十分理解しているらしい。商品の説明も的確だし、お金を払うだけの価値があるに違いない」

技術説明は見込み客の信頼を築く。

売り手がその商品・サービスの専門家であれば、信頼は必ず高まります。「競合商品について調べ上げたうえに、この商品のことは何から何まで承知しています。これは間違いなく最もおトクな商品です」と言われたら、たしかにそのとおりだろうと信頼を置くのは当然です。

また、商品説明の際に知らない言葉を使われたら、あなたはこれにも参ってしまうでしょう。売り手が専門家以外の何者でもないと感じられるからです。ペテンではありません。商品を技術的に説明しようとするなら、売り手はその専門家にならなければならないのです。

通販広告の場合は技術説明が大いに信用を高めますが、**その前に、必ず本当の専門家になってください。**さもないと消費者に見抜かれます。

このテクニックの好例として以下をご覧ください。ある時計の集積回路の写真につけたキャプションです。

新しいデコーダー／ドライバー集積回路はオシレーターカウントダウン集積回路からの入力を受け、ディスプレーを駆動するとともに時間を計算します。このたったひとつの最新技術が何千という固体素子回路に取って代わり、最高の信頼性を提供します。「センサー」にしかない技術です。

この技術的なコメントを理解できる読者はほとんどいないでしょう。実際、メーカーの了承を得ようと広告を送ったところ、担当者は写真に添えられたキャプションについてこう言いました。「ここに書いてあることは正しいのですが、誰がわかるというのです？なぜわざわざこんなキャプションを？」

読者が理解できないような技術説明をわざわざ加えるのは、商品をよく吟味したのですよということを示すため。私たちが薦めるなら、よい商品に間違いないというわけです。買い手側には「これを売ろうとしているのは専門家らしい」という信頼が生まれます。ちなみに、この時計は私たちが扱ったなかでも大ヒット商品のひとつとなりました。

別の例では、セミナーの概要案内があります。私が技術的な説明の効用について述べたあと、キャリアトラック社のジミー・カラノがやって来て言いました。「私がやっているあるセミナーの概要案内も、じつは技術説明に当たるんです。セミナーに参加しないとなかなかわからない専門用語を使って、私たちがそのテーマに精通しているということを伝えています」

フランク・シュルツが私のセミナーに出席してから書いた広告もしかりです。売り物はグレープフルーツ。その等級づけについて彼は説明します。

> 摘み取ってからも慎重な検査があり、これに合格しないものははじかれます。大きさ、色つやで分類します。風のせいで傷ついていることがありますが、これもはじきます。また、へたの部分に「ヒツジの鼻」と呼ばれる隆起ができることがあり、これもはじきます。おわかりでしょう。文字どおり完全なロイヤル・ルビー・レッドしか出荷されないということを。

広告やカタログ、ダイレクトメール、インフォマーシャルのなかで私は、販売しようとする商品だけでなく、関連するさまざまな商品全体の知識を十二分に伝えます。

その商品を選んだときの思考プロセスを伝え、それがなぜ一定の価格ポイントで他の類似品に勝るのかを伝えます。すると消費者は私の努力を認め、私の商品を信用し、苦労して稼いだお金をそれと交換してくれるのです。

❽ 異論に先回りする

これはコピーを書く際に考慮すべき重要な要素です。商品を紹介していて、見込み客から何かしら異論や反論が出そうだと感じたら、みずからその異論を唱えることです。覚えておられるでしょう。消費者が目の前にいない以上、あなたは次にどんな質問が出るかを予測しなければなりません。異論が出そうだと感じながらそれを無視するのは、その消費者を無視するようなもの。ごまかしは効きません。消費者は敏感ですから、その商品を買ってくれないでしょう。

異論に先回りする好例は、前に見た高価なコンピューター式ピンボールゲームの広告です。平均的な消費者ならアフターサービスについて疑問を投げかけるはず。そこで私たちは、広告のなかでその件に対処しました。

もうひとつの例は家庭向けサーモスタットの広告です。こちらも前に紹介しましたが、最初に見たとき、なんてひどい商品だと思いました。デザインも最悪です。私が消費者だったらげんなりでしょう。そこで広告の冒頭からいちゃもんをつけ、こんな不格好な商品は見たことがないと酷評しました。追ってその素晴らしい特徴に注意を喚起し、この商品を擁護するわけですが、それができたのは、みずから前もって異論を唱えていたからです。

取り付けが必要な商品は消費者にとって気がかりです。そういうときこそ事実から目をそらさず、取り付けに関する疑問を先んじて提示しなければなりません。

❾ 異論を解決する

異論を認識するだけでなく、それを解決するのもあなたの役割です。誠実な態度で、その解決策を示すか疑念を払いのけるかしなければなりません。さきほどのピンボールゲームの場合は、アフターサービスが必要になったら回路基板を換えれば済むのです。詳しくは十四番目のコピー要素「アフターサービス」でお話しします。サーモスタットのケースでは、その不格好な外観の下に信じられないような先進技術が隠されていることを説明します。最後に取り付けに関しては、消費者が何を期待できるかをきわめて率直かつ正確に説明することです。

❿ 相手の言葉を使う

消費者は誰か。男性、女性、それともその両方でしょうか。女子プロゴルファー、女性パイロット、職業を持つ女性でしょうか。特定の人々を傷つける性的な表現や性差別的な表現がないようにしてください。ターゲットオーディエンス（宣伝文が想定する対象者）を知り、彼らの言葉で意思疎通が図れるようにします。

私はかつて、自社のカタログで金のネックレスの広告を掲載したことがあります。ボブ・ロスという販売員が私に金のネックレスを売らせようとする——そんな物語の体裁をとりました。私は拒否しつづけますが、ボブから従妹の写真を見せられて気が変わります。広告でネックレスのモデルをさせてもよいというのです。従妹の写真を見た私は二つ返事でオーケーします。

これは私の作品のなかで最もクリエーティブな販売アプローチのひとつである、と多くの人から評価されました。ネックレスは私たちが扱っていた主力商品、すなわち電化製品とはなんの関係もありません。ただ、結果的に何通かの手紙を受け取ることになりました。ニュージャージー州エッグハーバーシティの女性は次のように書いてよこしました。

貴兄のご友人、ボブ・ロス氏はご自身を有能な販売員とお考えのようですが、残念ながら貴兄の広告でのロス氏はたわけ者といわざるをえません。

手紙はこのあと、技術分野、軍隊、航空管制、スポーツ、レジャー、レースなど、女性がさまざまな分野で活躍していることを指摘。最後にこう結びます。

三十七ページの広告の責任者や責任部門は長きにわたって世間から指弾《しだん》されるでしょう。この責任者が二十世紀という時代に追いつくには、それこそ長い長い道のりを要するはずです。すぐにでも倒産されることを心よりお祈りいたします。

そして署名。行間をあけることなく、二枚にわたってぎっしり書かれています。宛名ラベルのコピーも同封されていました。私は本当に女性に対して無神経だったのでしょうか？　広告のなかで女性をおとしめてしまったのでしょうか？　ご判断はお任せします。

また、男性と女性にとって何が大切か、その違いを認識することも必要です。女性はふつう色やファッション、家族、家庭、人間関係などを重んじます。男性はむしろスポーツ、軍事、機械、お金儲け、家族の扶養などに関心を寄せます。もちろん今日では重なる部分も相当あります。女性はかつて男性だけが担っていた役割を担い、男性は昔なら女性的と思われたことをしています。そうした違い（あるいは違いのなさ）を知ることが何よりも重要です。そうすればターゲットオーディエンスとのコミュニケーションの仕方がわかり、彼らが何に傷つくかもわかりますから、スムーズな関係づくりが可能になるのです。

⓫ シンプル、かつ明確にする

コピーは明確かつ簡潔で短く、的を射たものでなければなりません。読者を混乱させ、書き手のことを鼻持ちならないと思わせる難解な言葉は使うのを避けます。もちろん、アピールしようとする相手が鼻持ちならない俗物なら話は別ですが。とにかくシンプルに。コピーが明確であればあるほど、読者はそれを読みやすく、また滑り台効果も高まります。唯一の例外は、第七の要素としてお話ししたように、技術的な説明を加える場合です。

⓬ 常套句は使わない

「世界が待ち望んでいた商品です」とか「信じられないような話です」とか、あからさまな常套句は避けましょう。使いたくなっても使わないことです。常套句や決まり文句を使うと、じつは大して言うべきことがなくて、ただスペースを埋めなければならないのだろうと思われてしまいます。どうすればいま書いているのが常套句だとわかるのでしょう？どこかの代理店が二十年前に書いたのではないかと思える典型的なコピーなら、まずは要注意です。

私は常套句を使ったことがあるかって？　もちろんです。最初のころに書いたコピーは常套句だらけでした。当時はそれほど無知だったのです。たとえば一九七二年の卓上型計算機の広告で、私は「世界が待ち望んでいた画期的発明です！」とやってしまいました。最悪でしょう？　でも現在なら、それほど陳腐な台詞は使わないでしょう。一九七一年に米国で初めてポケット電卓を紹介したときのリードは、「これぞトランジスタラジオ以来の劇的で画期的な新技術！」でした。ただ当時に照らしてみれば、常套句というよりはむしろ真実だったのかもしれませんが。

⑬ リズムをつける

歌にリズムがあるように、コピーにもリズムがあります。ユーモア作家と呼ばれる人はこれをよく心得ています。優れたユーモアが書けたら、リズムをすっかり身につけたも同然。じつは最も書きづらいコピーがユーモアなのです。いかにして雰囲気を盛り上げ、そのうえで落とすかが問われるからです。わかりきった落ちではいけませんし、タイミングの妙も重要です。では、広告コピーのリズムとは実際どのようなものなのでしょう？

それは明らかなパターンを持たないということです。つまり、短いセンテンス、次に長いセンテンス、それから中くらいのセンテンスが来て、また短いセンテンス、さらに短いセンテンス、そのあと非常に長いセンテンス……という具合。おわかりですか。要は長短さまざまな文を織り交ぜ、全体として変化やリズムをつけるのです。

どのセンテンスも同じような長さだったり、共通のパターンが予想できたりすれば、コピーはどのように感じられるでしょう。とても退屈ですね。コピーのリズムで大事なのはそこです。文や文の長さに変化を持たせて、コピーにリズムをつけましょう。

⑭ アフターサービスを伝える

高価な商品や修理などに出しにくい商品を扱っている場合、アフターサービスの問題にふれ、それが簡単なことを消費者に伝える必要があります。有名メーカーの名前を出すだけでアフターサービスの容易さを確証できることもしばしばです。しかし、消費者がアフターサービスについて尋ねる可能性がわずかでもあれば、文章でそれに対処しなければなりません。

バリー社のピンボールゲームを通信販売するにあたって、私たちは買い手がアフターサービスについて心配するだろうと考えました。壊れて修理が必要になったらどうするのか？ 大きくて高価な商品でもあり、顧客には故障したら不便だという思いがあるはずです。私たちは宣伝文でこれに対応しました。顧客の懸念を和らげるために用いたコピーは以下のとおりです。

アフターサービスの事実

ファイヤーボールは集積回路上に電化製品技術を凝縮したコンピューターゲームです。集積回路はいずれもしっかり密閉し、事前にテストを行っています。アフターサービスの期限はありません。ファイヤーボールは自己診断機能もそなえています。たとえばシステムにどこか不具合が生じた場合、バックパネルのテストボタンを押すだけで、どこが悪いのかをスコアボードの数字で教えてくれます。説明書を確認したうえで、指示された回路基板や電球、部品を外し、最寄りのアフターサービス部門にお送りください。新しいものとお取り替えします。テレビやステレオでもこれほど修理が簡単ではありません。

ひとつのパラグラフ全体をアフターサービスの説明に充てました。その結果、アフターサービスが心配で購入しなかったであろう何千人もの人たちにピンボールゲームを売ることができたのです。

もうひとつ、七〇年代半ばのデジタル時計ブームのさなかに生じた事例を見てみましょう。デジタル時計産業は急拡大していましたが、この新しい時計には信頼性の問題がありました。ゼンマイ式の時計と違って、電池や高度な回路を使用するデジタル時計は不良品の比率も高かったのです。

私はこれを問題視し、文章でどうにか対処しなければならないと考えました。問題すなわちチャンスでもあります。私は考えました。「この深刻で急拡大する問題のどこにチャンスがあるのか？」と。そして、商品の品質を保証する以下のような文章を思いついたのです。

> センサー770は部品と修理費が五年間無料という前代未聞の保証付き。ひとつひとつの時計は数週間にわたるエージング、テスト、品質管理を経たうえで組み立てられ、さらに最終検査が行われます。アフターサービスは不要なはずですが、万が一保証期間内にその必要が生じたときは、お宅まで受け取りにあがり、修理が終わるまで代わりの時計をご提供いたします。もちろんいずれも無料です。

このあと、オファーの概要をあらためて確認する箇所でも、私たちはアフターサービスについて強調しました。

> 私たちがセンサー770を選んだのは、最も先進的なアメリカ製デジタル時計だから。それは当社を挙げて推奨する商品です。ＪＳ＆Ａはセンサーを（電池ひとつであっても）五年間無料保証。万が一修理が必要になった場合も、その間、代わりの時計をご提供します。

私たちは文章のなかで、アフターサービスに関するいかなる懸念をも払拭しました。見込み客がアフターサービスの問題を心配したとしても、広告を見ればもはや解決というわけです。アフターサービスをここまで徹底することで、問題になりかねない不安の種を事前に取り除き、それをチャンスに換えることができたのです。

実際に顧客の時計が動かなくなると、フリーダイヤルに連絡が入ります。私たちはただちに、ＵＰＳ社が不良品を無料回収するためのパッケージ、代替用の時計、そして修理後に代替用の時計を返却してもらうための封筒（郵送料不要）を送ります。

これは私たちが消費者重視の会社だという証明になりました。私たちのアフターサービスの丁寧さに顧客は文字どおり驚いたのです。さらに、修理済みの時計を届けると、私たちは顧客に電話を入れて調子の良し悪しの確認もしました。

しかし、それはこの事例の主眼ではありません。もし消費者が潜在意識のなかでアフターサービスのことを考え、あなたがそれに事前対応すれば、商品購入に対する抵抗をなくすことができるでしょう。センサー770は最も売れ行きを伸ばした時計のひとつであり、その顧客名簿はその後、別の機会でも使える有益なリストとなったのです。

友人のジョー・ジラードにとって、アフターサービスは成功へのカギとなりました。彼は一年間に最も多くのクルマを売った人物としてギネスブックに載っています。販売術をテーマとしたジョーの著書はどれも洞察にあふれており一読に値しますが、彼がこれほど有能な販売員になったのは（彼がナイスガイだということを除いて）、アフターサービスに対する姿勢にありました。顧客が抱える問題は、すなわち彼自身の問題でした。クルマを売るたびに、ジョーは買い手専属のサービス担当者となったのです。その働きぶりは立派でした。したがって買い手は、クルマを買い替えるときにはジョーを指名します。彼の成功を支えたのは価格ではありません（それも重要ではありますが）。アフターサービスに対する姿勢なのです。

⓯ 物理的事実を明記する

宣伝文では商品に関するあらゆる物理的事実に言及しなければなりません。さもないと広告の反応率が低下するおそれがあります。物理的事実とは重量、寸法、制限、速度などを指します。場合によっては寸法や重量など重要でないとお考えかもしれません。でも、それは違います。**買わない口実を読者に与えてしまえば、まず買ってもらえません。**

私は商品の広告を掲載し、フリーダイヤルで注文を受けたものです。なぜなら、電話を通じて購入プロセスのあれこれを学べるからです。電話をかけてくださるのは、私の商品を信頼し、汗水を流して稼いだお金を出してもよいという人たち。彼らの購入に至るプロセスを垣間見て、その潜在意識下の反応を知るには絶好の機会です。

そんななかで私は、あらゆる事実を提供しなければ注文しない口実を与えることになると学びました。重量であれ寸法であれ、宣伝文のなかでそれを示さなければ、読者は電話で問い合わせてきます。わざわざ電話などしてこない人はもっといるでしょう。もちろん彼らも注文してはくれません。

以前、はかりの広告を出したときのことです。床のうえで撮った写真を載せたのですが、はかりそのものの重量は書きませんでした。誰も気にしないだろうと思ったのです。ところが、ふたを開けたら問い合わせがひっきりなし。結局、広告に重量を載せることになったのです。また別の広告では、手に握った商品を示して正確な寸法も載せましたが、重さは要らないと思って載せませんでした。このときも、重さを知ってから買うかどうかを決めたいという人からたくさん電話が入ったのです。

それほど重要ではないと思う場合でも物理的事実を示してください。

⑯ 試用期間

消費者が購入時にさわったり感じたりできない商品には試用期間が必要です。通販商品もそうです。ただひとつの例外は、価値がきわめて高く、よく知られた商品なので、消費者がリスクをとってもよいと考えるケースです。既存ブランドのトイレットペーパー二十四ロールを特価で通信販売しているとしましょう。この場合は試用期間は必要ありません。

試用期間は短くても一カ月。二カ月あればなおよいでしょう。試用期間が長ければ長いほど返品の可能性は減り、消費者の信頼は増すことが実証されています。

試用期間が一週間だったとします。あなたは一週間で態度を決めなければなりません。プレッシャーを感じたあなたは商品を吟味し、できるだけ早く意思決定しようとします。

一週間たっても決めかねる場合はどうするか。「確信がない以上、危険は冒せない」そう言って返品することでしょう。

しかし、二カ月ある場合はどうか。プレッシャーはありませんね。その企業に対して好感さえ持つでしょう。二カ月もの試用期間を設けるのだから、商品を気に入ってもらえる自信があるに違いないと。

したがって商品をあれこれ吟味することはありません。強迫観念なく自由に商品を使っているうちに、いつの間にか二カ月が過ぎ、返品など考えも及ばないというわけです。返品しようと思えばできたという事実だけで十分なのです。

⑰ 信頼できる人に推奨してもらう

信頼できる個人や組織から推奨してもらえれば、商品の信用はアップします。これはコピー本文だけでなくキャッチコピーや写真にも利用できます。誰か有名人に推薦してもらえないかを検討してみましょう。ただし、商品にふさわしい推薦の弁でなければなりません。

マイデックスという最新式のセキュリティシステムを販売したとき、私は著名な宇宙飛行士、ウォリー・シラーが推薦者として適任だと考えました。彼は快諾してくれ、マイデックスはよく売れました。バスケットボールシューズを売ろうとするなら、マイケル・ジョーダンがうってつけでしょう。

商品にぴったりの有名人であること、信用が高まることが肝心です。そうでない有名人の起用は逆効果となり、信用できるオファーでなければ売り上げが激減しかねません。

私が「逆推奨」と呼ぶ方法もあります。この場合は著名人などのスポークスパーソンを使うのではなく、競合他社についてコメントします。たとえばオリンパスのマイクロレコーダーの広告は以下のようにしました。

【キャッチコピー】**推奨合戦**

【リード】「ラニア」が有名ゴルファーなら、こちらは当社社長が推奨。百ドル（約一万二千円）おトクです。

【コピー】あなたのご判断は？　この新しいオリンパス製マイクロレコーダーは百五十ドル（約一万六千円）。これに最も近い競合商品「ラニア」は、有名ゴルファーの推薦付きで二百五十ドル（約二万七千円）です。

高価な推薦の弁

かの有名ゴルファーは自家用機「サイテーション」のパイロット。オリンパスのマイクロレコーダーを推薦するのは、もっと費用効率のよい単発機、ビーチクラフト「ボナンザ」を操縦するＪＳ＆Ａ社長です。ゴルフスターはただでラニアを推薦するわけではありません。結局のところ、商品を推薦することでそれなりの収入を得ているのです。

それにひきかえ、当社社長は商品を推薦したところで一銭にもなりません。商品を売って初めてお金になるのです。それに、彼のボナンザはゴルファーのサイテーションほど高くつきません。さらに申せば、当社社長の愛車はフォルクスワーゲン「ラビット」です。

このあと私は、ラニアの販売方法（訪問販売）は非効率であり、オリンパス（ＪＳ＆Ａ社によるダイレクトマーケティング）のほうが効率的であると続けます。結論はこうです。格上ともいえる商品のほうが百ドル安い。それはとりもなおさず、私たちが高くつくスポークスパーソンに商品を推奨してもらわなかったからだと――。

推奨のもうひとつの方法は、道行く一般人に証言してもらうというもの。主にテレビで使われる手法です。私はかつて手がけた「ブルブロッカー」というサングラスのインフォマーシャルで、この方法を大いに活用しました。

最後にもうひとつ、商品の利用者が自主的に推薦の言葉を寄せてくれる場合があります。いずれにせよ、正真正銘の推奨であることが肝心です。嘘偽りは人々に見抜かれますし、連邦取引委員会（日本の公正取引委員会に相当）も黙ってはいないでしょう。

⑱ 価格をどう見せるか

価格もコピーで考えるべき重要なポイントです。価格を前面に出すべきか。大きく示すべきか、小さくするべきか。こうしたことを熟慮しなければなりません。

商品やサービスをお買い得価格で売っているなら大きく表示します。つまるところ、そのベネフィットを人々にはっきりわからせる必要があります。商品が高価で、そうは売れそうにない価格なら、控えめに提示したほうがよいでしょう。隠すのではなく、ただ控えめにしておくのです。

宣伝文を書くとき、私は見込み客が質問しそうな内容を必ず予測します。

例外がひとつあります。彼らがいつ価格について考えはじめるかは予想がつきません。私の経験では、読者はいつなんどきでも商品の値段を知りたがります。宣伝文を読む前に知りたがることもあれば、宣伝文の途中や終わり近くのこともあります。有能なあなたは、いつ質問されようとも即座に回答しなければなりません。

クーポンのなか（これが理想的です）、太字で強調した部分など、あるべき場所に価格を示すことで、いつ出されるかわからない質問に答えます。宣伝文にざっと目を通した読者は、価格が太字だったりクーポンに表示されていたりすれば、そこに目を奪われます。こうして質問に答えるのです。

⑲ オファーの要点をまとめる

宣伝文の終わり近くでオファーの要点をおさらいするのはたいへん効果的です。「確認します。いまならフッ素樹脂加工のポット二つに便利なクックブックとビデオをおつけして、価格はたったの十九・九五ドル（約二千二百円）」この重要なポイントを見落としている宣伝文がいかに多いか、あなたはびっくりされるでしょう。

⑳ 多くを語りすぎない

これは私の受講者たちが最も犯しやすい間違いです。多くを語りすぎるのです。これはまた編集上の問題でもあります。一般にはあるテーマについてできるだけ雄弁に語り、そのうえでスムーズな流れになるまでコピーを研ぎ澄まします。たいていの場合、リズムと流れが生まれるまでコピーの長さを編集・削減することになります。時間のかかる作業であり、いくつかのステップを要します。

何よりも、編集作業をしながら「もっとシンプルな言い方がないか?」と自問すること。五割から時には八割を削っても内容が変わらない、なんてことは日常茶飯事です。しゃべりすぎの販売員と簡潔にして的を射た販売員との違いです。やはり要領を得た販売員から買いたいでしょう?

㉑ 注文しやすくする

必ず注文しやすくしてください。フリーダイヤル、クーポン、切り取り式の申し込みハガキなど、わかりやすく使いやすいものならなんでもかまいません。私のお薦めは切り取り線入りのクーポン。実際にテストしたところ、切り取り線があるため、商品の注文書となっていることがひと目でわかり、反応率が高まります。

㉒ 注文の念押しをする

宣伝文の終盤で念を押すように注文を促します。信じられないかもしれませんが、多くの人がこれを忘れています。私は宣伝文の最後に以下のようなコピーを挿入します。「いますぐのご購入をお薦めします」

セールストークが終わって、あなたが注文の念押しを待っているのにそれをしない——そんな販売員がいるでしょうか。いるのです。それは経験不足の販売員たちが抱える問題のひとつです。必ず注文を促してください。それも宣伝文のいちばん最後に。商品の説明が終わり、オファー内容が確認されたことで、見込み客は買う気満々なのですから。

宣伝文を書くときには以上二十二の要素を頭に入れてください。本章をチェックリストとしていつも手元に置くとよいでしょう。二十二の要素すべてが大切です。割愛できるものがないかと問われれば、答えは「あるかもしれない」ですが、とにかくすべてのポイントを確認して、自分が書いた広告の欠陥を見つけることです。

私のアドバイスに従ってそれを修正すれば、さらによい反応が得られるはずです。また、このチェックリストを眺めれば、さまざまな要素の相対的な重要性が了解されると思います。たとえば「小見出し」は、宣伝文の威圧感を減らす程度の目的しかありません。一方、「異論を解決する」という要素は、コピーの信頼性にきわめて大きな違いをもたらします。

しかし、本当におもしろいのは次章です。肝に銘じるべき心理的要因を学びます。これまでお客を爆発的に増やす文章全体を構成する要素とその目的（第一センテンスを読ませる）、そしてさきほど、反応に差がでる二十二のポイントを学びました。

次に学ぶのは、二十二の心理的トリガー、すなわち、優れたコピーがさりげないながらも効果的な方法で伝えるべき潜在的な動機づけメッセージです。セミナーの受講者たちは、ここが最もお気に入りでした。どうぞご覧ください。

役に立つ22の心理的トリガー

あらゆる販売メッセージを書く際に考慮すべき四十四のポイントのなかでも、ここからが最もおもしろいはずです。

いよいよ、広告メッセージを書く際に考慮すべき「心理学」へと駒を進めます。これは私が何年も試行錯誤を繰り返しながら少しずつ身につけた考え方です。

すぐに理解できるものもあれば、みずから経験しないとよくわからないものもあるでしょう。かなり詳しい説明を要する項目もあると思います。

ここまでの内容を多少なりとも役立つとお考えいただけるなら、本章はおもしろいどころでは済みません。さっそく始めましょう。

1 インボルブメント（感情移入）させる

ある電気店の販売員に聞いた話です。彼はその店が始まって以来の優秀な販売員でした。他の者は足元にも及びません。彼には見事な販売テクニックがありましたが、私が感心したのはそこではなく、どの客が最も見込みがあるかを事前に判断するその方法です。

彼がしたのはこういうことです。通路に立ち、お客様が入ってくるとその行動を観察します。テレビのところへ行って操作ボタンをいじりはじめたら、売れる可能性は五〇％。操作ボタンに触れなかったら、売れる可能性は一〇％というわけです。

たとえば、ダイレクトレスポンス広告の場合、見込み客があなたの販売メッセージを読むのを観察することができません。その場で操作ボタンに触れるのを見るわけにはいかないのです。しかし、商品にいわば感情移入させれば、操作ボタンに触れさせることは可能です。

私が宣伝文で必ずするのは、商品を持っている（あるいは使っている）ところを読者に想像させることです。

たとえば計算機の広告であれば、「リトロニクス２０００を手にとってください。キーの叩きやすさがおわかりですか？　いかに小さくて軽いかがおわかりですか？」という具合。想像力を使って、読者に操作ボタンに触れてもらうのです。

つまり、読者に当事者意識を持たせるための「心の旅」に出るようなもの。実際に計算機を手にとり、私が述べることを経験しているかのように思わせるのです。まるで吸入を待つ掃除機のような見込み客の心に侵入して、イメージを描かせるわけです。

宣伝文を書くときには、読者にあなたとの散策を楽しんでもらいましょう。あなたが感じる香りをかいでもらいましょう。宣伝文を通じてイメージを創出し、あなたが感じていることを同じように感じてもらいましょう。

コルベットのスポーツカーの広告なら、こんな具合でしょう。「新型コルベットを体感してください。暖かな夜、あなたの髪を吹き抜ける風――。回転するヘッドライト。アクセルを踏み込み、一気に加速すると、体がシートに圧しつけられるのを感じます。ダッシュボードに美しく並んだ最新の計器類。アメリカのスーパー・スポーツカーのパワーと興奮を感じてください」

さらに私は、このクルマのあらゆる特色――購入の決め手となる理屈――を説明するでしょう。しかし私が本当に重視するのは、ここに述べる感情移入です。

このテクニックはさまざまな方法で用いられます。ダイレクト・レスポンス・マーケティングでは、それはしばしば「インボルブメント・デバイス」（読者を巻き込む工夫）と呼ばれます。消費者を購買プロセスに引き込むということです。ばかばかしいくらいのものもあります。「『今すぐポストへ！』と書かれたはがきを送れば、当誌をテスト購読することができます」といった類の勧誘を受けたことがありませんか？　この一見単純で子どもじみた考え方は誰の発明なのでしょう？　しかし、ダイレクトマーケティングに携わる者なら知っているように、この種のインボルブメント・デバイスは反応率を二倍にも三倍にもするのです。単純どころか非常に効果的なテクニックです。

読者は誘いの言葉に絡めとられます。そしてまた、コピーの力によってアクションを起こすか、アクションを起こすことを思い描くのです。

■テレビのインボルブメントに学ぶ

テレビは感情移入やインボルブメントのお手本です。あなたは商品を目にし、耳にするだけでなく、それにほとんど触れることさえできます。テレビが最も有効な販売方法のひとつであるのも頷けます。

人がどれほど販売メッセージにインボルブされるものか。私の娘がそれを見事に実証してくれました。彼女が四歳のときのことです。スヌーピーのバレンタインデー・スペシャルが放映され、娘のジルは七歳の姉エープリルといっしょにそれを見ていました。その場にいた妻が次のような興味深い話をしてくれました。

チャーリー・ブラウンが教室でバレンタインカードを配るために、ひとりひとりの名前を読んでいました。「サラ、メアリー、サリー……ジル。ジルはどこ?」すると娘がすかさず手を挙げ、「ここよ」と言いました。番組に感情移入するあまり、自分も教室にいると思い込んだのです。

私はインボルブメント・デバイスをよく使います。商品と結びついたインボルブメント・デバイスはじつに効果的です。私が手がけた広告から完璧な事例をご紹介しましょう。その成果たるや驚くものでした。

商品は「フランクリンのスペリング・コンピューター」と言います。正しいスペルの習得に役立つマシンです。登場した当時は斬新で、人気商品となりました。それを販売するのは私が最初ではありませんでしたが、私が売ろうとするのは初回バージョンより少し性能が上でした。

商品を調べてみて、私は値段が高すぎると思いました。でも値段を下げると言ったら、メーカーは困った顔をするでしょう。そこで私は、値下げの方法としてインボルブメント・デバイスを試したのです。

まず、商品を紹介する宣伝文に変わった趣向を施しました。宣伝文にはスペルの違う語がいくつかあります。その単語を探してマルをつけたうえで返送すれば、単語ひとつにつき二ドル（約二百二十円）値引きするというものです。私のコンセプトはシンプルでした。スペルの違う単語をすべて見つけられなかったら、このコンピューターの値段は高くなります。しかしまた、すべての誤りを発見した人よりも、そういう人にこそスペリング・コンピューターは値打ちがあるというわけです。

最初の広告を『ウォールストリート・ジャーナル』に出したところ、続々と反応がありました。長年ごぶさただった人たちから電話ももらいました。「おいジョー、間違いを全部探すのに一時間半もかかったじゃないか。おまえのおんぼろコンピューターなんか買ってやるもんか。ふだん『ウォールストリート・ジャーナル』を一時間半かけて読むなんてことはないんだぞ」

■当事者意識を抱かせる方法

結果は意外でした。読者はスペルの違う語をすべて見つけるだろう、と私は思っていました。じつは「ミススペル」（mispelled）という語さえミススペルだったのです（正しくはmisspelled)。ところが最終集計してみると、驚いたことに平均で半分しか見つかっていません。こうして私は見込み以上の利益を上げることができたのです。そしてもちろん、スペリング・コンピューターを本当に必要とする人は確かな価値を手にしたというわけです。

自分が当事者であるという意識（感情移入）はインボルブされているという意識に近いものですが、当事者意識を抱かせるためには、読者にその商品をすでに所有しているかのように思わせます。それを所有していたらどんな感じがするかを順次説明しながら、読者にイマジネーションを広げさせるのです。たとえば「トレーニング器具が届いたら実際に試してください。おもりを調整します。ベッドの下にラクラク収納できることをご確認ください……」つまり、すでに商品を購入したと感じさせるのです。

読者を巻き込んだ宣伝文はきわめて有効です。とくにインボルブメント・デバイスが使われている場合は――。宣伝文を書くときはこの重要なコンセプトを頭に入れておいてください。コピーの効果をぐんとアップさせることができます。

2 正直さ／誠実さを打ち出す

四十四のテクニックのなかで、最も大切なものをひとつだけ挙げるとしたら、それは「正直さ」です。宣伝文は正直・誠実でなければなりません。メッセージが不誠実であれば好結果が得られないということではありません。信じがたい価格や宣伝文句に見合わない商品を消費者に提供する場合、一度や二度はごまかせるかもしれません。しかし、長期にわたっては無理でしょう。

ただ、ここで言おうとするのは、不誠実でもごまかせるかどうかとか、それはどのくらいの期間かとかいうことではなく、心理的な販売ツールとしての正直さについてです。まず、とても重要な前提から確認しましょう。

消費者は賢明です。あなたが思う以上に賢明であり、ひとりよりも全体としてのほうが賢明です。三十五年の経験と知識にかけて私は申し上げます。消費者の目は鋭い、と。

消費者はまた、私たちが伝えようとすることが正直かどうかを見抜きます。宣伝文が正直であればあるほど、見込み客はそのメッセージを効果的に受け入れてくれます。

嘘のコピーを書こうとすれば、みずからを欺くことにしかなりません。そのコピーはあなたが言いたかったことを言うと同時に、あなたが隠そうとしたことも言ってしまうからです。斜め読みした読者でさえ、その違いを感じることができるでしょう。

JS&A社の広告を書くとき、私は商品のネガティブな側面を数多く盛り込んだものです。さきに欠点を指摘します。そしてもちろん、欠点とはいっても大きな問題にはならず、やはりこの商品は購入価値があると説明します。このやり方に感じ入り、私たちのメッセージを信用した消費者は熱心に商品を買ってくれました。

それも、宣伝文が正直・率直であればあるほど、消費者の反応はよいと思われました。私はすぐに気づきました。宣伝文で最も肝に銘じるべきことのひとつは正直さだったのだと――。

消費者には本当に真実を見る目があります。私たちなど及びもしないほど賢明ですから、真実を装うことはできません。まやかしは必ず見抜かれます。

テレビの全国放送であれ印刷広告であれ、私は顧客に正直に伝えるということを学びました。そして正直であればあるほど、彼らは反応してくれるのです。

3　信用を高める

正直さや誠実さを宣伝文で伝えれば、おそらく信用が高まるでしょう。しかし、信用イコール正直さではありません。信用とは文字どおり信じられるということ。格安の商品を広告する場合、そのオファーが間違いなく正当なものであることを伝えなければなりません。

よそでは四千円のものを千円で売るとしましょう。あなたの仕事はその価格に対する信用を築くことです。極東から大量購入する、大手メーカーから残品を安値で譲ってもらった、などの説明をします。要するに、あなたの会社、あなたのオファーに対する信用を築かなければなりません。

信用とは正直さを意味することもあります。消費者はあなたを本当に信じるでしょうか。軽率な物言い、常套句、誇張などはオファーの信頼性をそいでしまいます。

信用に影響しうる最も懸念すべきファクターのひとつは、読者が思い浮かべる異論や反論をすべて解決しないことです。商品・サービスの明らかな欠点をはぐらかすなどもこれに当たります。あらゆる異論を想定し、これを解決する必要があります。

取り付けや組み立てを要する商品がよい例です。商品を箱から出してすぐ使えないことが明らかなら、組み立てが必要なことを説明しなければなりません。「組み立て用の便利なツールをお付けします。実際のテストによると、不慣れな方でもわずか五分で組み立て可能です」といった具合。繰り返しますが、宣伝文の信用にとって重要なのは、異論を予測・解決することなのです。

基本的には消費者が次に発しそうな質問を感じ取り、率直かつ信頼できる方法でこれに答えます。商品、オファー、そしてあなた自身の誠実さが問われています。最大限の信用を得ることができなければ、見込み客は購入をしぶるでしょう。

アメリカの場合、テレビのホームショッピング・チャンネルであるＱＶＣに出れば、通常ならかなりの信用がないと売れない商品も売りやすくなります。ＱＶＣ自体がすでに顧客の信用を得ているからです。ＱＶＣで紹介される商品なら間違いない。消費者が望む品質をそなえているだろうというわけです。おそらくその商品を買うのは、以前にもＱＶＣで買い物をし、その会社が信用できるとすでに感じている人でしょう。つまりＱＶＣの信用に便乗するのです。さらにＱＶＣの信用とあなたの商品の信用が組み合わされれば鬼に金棒です。

信用効果は広告を掲載する雑誌や新聞にも及びます。『ウォールストリート・ジャーナル』に商品広告を出せば、彼らの信用や用心深さに便乗することができます。読者が食い物にされる心配はありません。これに対して、『ナショナル・エンクワイヤラー』（米国のゴシップ紙）に同じ広告を出せば、同紙の信用のなさに苦労させられるでしょう。広告を出す環境にも信用は影響されるのです。

ブランドを利用して信用を高めることもできます。たとえば、ソニーの電化製品とまったく同じ性能のものをヨークスの名で販売したら、どちらが信用を得られるでしょう？　両者とも同じ価格なら、おそらくソニーのほうが売れるでしょう。

しかるべき有名人に推奨してもらうのも一案です。企業名も信用に影響します。たとえば、コンピューターを販売するツール・シャックという会社がありました。この社名は商品の信用の足を引っ張ったものです。私たちはかつて、ＪＳ＆Ａという社名と、それほど知られていないコンシューマーズ・ヒーローという社名の影響を調べるため、『ウォールストリート・ジャーナル』に同じ広告を出したことがあります。その結果、ＪＳ＆Ａの名前で出した広告のほうがはるかに好結果でした。社名が違うだけなのにです。

市や州の名前で信用がアップすることもあります。だから比較的小さな都市を拠点とする企業で、ロンドンやパリ、ニューヨークにオフィスを構えるところがあるのです。宣伝文制作においては、信用を高めるさまざまな方法を検討する必要があります。

4　価値を証明する

たとえ億万長者でも、自分がだまされているのではないこと、いやそれ以上に、使ったお金に見合う価値を手にしていることを確認したいでしょう。

宣伝文では、事例や比較を通じて、顧客が買おうとしているものに価値があることを伝えなければなりません。典型的な例のひとつとして、私は同じような特徴の商品と価格を比べたうえで、自分のほうが優れた価値を提供していると指摘します。

自分の商品を他の商品と比べることで、あるいは一目瞭然とはいえないなんらかの価値を証明することで、見込み客が買ってもよいと納得できる理屈を提供するのです。

商品本来の価値を読者に教えるだけでも値下げと同じ効果があります。つまり読者に提供する教育効果に伴う価値が存在するのです。

ものを買うというのは、買ってもよいと納得できる理屈に基づいた情緒的な行為です。メルセデスのクルマを気持ちのうえで買いたいと思っても、そのあとに技術や安全性、転売価格などをもとに理屈として購入を正当化します。このように消費者は、感情に導かれた購入を行う前に商品の価値をきちんと納得したいものなのです。

また、そうした厳しい競争があるからこそ、消費者はつねに「この商品はベストプライスだろうか？」と考えるのです。何度も言いますが、その疑問を解決しなければ、見込み客と効果的なコミュニケーションはできません。

5 購入の納得感を与える

読者が宣伝文を読みながら考えることのひとつは「本当にこれを買ってもよいのだろうか？」です。繰り返します。必ず出るその疑問を解決しなければなりません。そうしないと見込み客のあらゆる質問に答えることができず、結局は「いや待て」と考え直す口実を与えてしまいます。そうなれば買ってもらえないのはもちろんです。

宣伝文のどこかで買い手に購入の大義名分を提供することにより、いかなる異論・反論にも対処しなければなりません。「あなたにふさわしい商品です」のひとことで済むこともあれば、お買い得である（「今回だけの価格」）、健康によい（「目を守ります」）、人目を引く（「これを身につければ世の男性が放っておきません」）など、見込み客のウォンツやニーズに基づいてありとあらゆる大義名分を用意しなければならないこともあるでしょう。

私は人からよく言われました。「きみの宣伝文を読んでいると、買わなくちゃ悪いという気になる」と。何よりの褒め言葉ですが、それはおそらく消費者の心の奥底で私が購入の正当性を納得させているからでしょう。

価格ポイントが高ければ高いほど、購入を納得させる必要が増します。価格ポイントが低ければ低いほど、あるいは価格に対応する価値が高ければ高いほど、購入を納得させる必要は減ってゆきます。実際には価格が低い場合、「欲」の果たす役割が大きくなります。

6 欲を刺激する

「お買い得品」に引かれるという意味での欲は非常に大きな影響力を持ちます。私もご多分にもれず、必要もないのにお得だからというだけで買ったものは数知れません。

低価格商品または低価格で提供される高額商品の場合、欲を重要なファクターとして考えることに二の足を踏む必要はありません。ただし価格が低すぎると、その価格を納得させないかぎり信用が低下することがあります。多くの人があえて見知らぬ業者から安い買い物をして、値段のわりに高い価値を得ようとします。その価格でふつう得られるよりも高い価値を提供するのは、消費者の欲に訴えるひとつの手段です。

かつて『ウォールストリート・ジャーナル』に掲載した広告で、ある計算機を四十九・九五ドル（約五千五百円）で売り出したところ、メーカーはおかんむりでした。「あれは六十九・九五ドル（約七千七百円）で売るはずだったんだ。全国のディーラーから電話で文句が来てるじゃないか」

「ご心配いりません。修正します」と私は言いました。そこでやはり『ウォールストリート・ジャーナル』に小さな広告を出しました。誤りがあったことを公表し、四十九・九五ドルから六十九・九五ドルに価格を上げるとともに、数日間だけ旧価格で購入できると告知したのです。かなり小さめの広告だったにもかかわらず反応は前回を上回り、その数日間に、四十九・九五ドルという割安価格で計算機を求める人々の注文が殺到しました。

欲に乗じたテクニックはいつでも使えるというわけではありません。しかし、人の弱さにつけ込む効果的な要素として認識する必要があります。

価格を下げるとたいていは売上数量が増加します。下げ幅が十分であれば、価格を下げれば下げるほど売上数量は増加していきます。ただし下げすぎると、その正当性を納得させる必要が生じます。信用が崩れはじめるからです。

欲というのはあまり褒められたものではありませんが、厳然と存在します。見込み客とのコミュニケーションで考慮すべきポイントなのです。

7 権威づけをすると安心する

どの会社にもその権威、規模、ポジションまたは目的を規定する表現が何かしらあるものです。消費者は特定分野のエキスパートとの取引を望みます。したがって、総合デパートから特定商品を扱う専門店へとトレンドは移っています。専門店はその分野の専門知識や影響力に優れているからです。

たとえば何年ものあいだ、私はJS&A社を「アメリカで唯一最大の最新電化製品サプライヤー」と呼んでいました。

私が試みたのは、最新電化製品の主たるサプライヤーとしてのJS&A社の権威を築くことでした。「唯一」とありますが、私たちは文字どおり商品をひとつの場所から出荷していました。最新電化製品の取扱量はシアーズ社やレディオシャック社ほどではないかもしれませんが、ひとつの場所からの出荷量では勝っていましたし、私たちはその商品だけに特化していたのです。

権威を築くというのは、企業の大小にかかわらず、どの宣伝文でもやらなければならないことです。たとえば「アメリカ最大の煙突掃除用品サプライヤー」のように（実際、セミナー参加者のひとりは煙突掃除業に携わっていました）。小さな企業であっても「広告ビジネスの働き者集団」のように言うことが必ずできます。自分の会社をしかと吟味すれば、その権威や専門性を表す何かが見つかるはずです。

そうしていったん権威が築かれると、今度はそのために使った表現をやめたいとの誘惑にかられるようになります。私の場合も、さきのフレーズを六年近く使ったころ、これはもう不要ではないかと思ったことがあります。しかし初めての読者はつねに、宣伝文を見て、これは自分が購入を検討している分野の権威ある企業だという安心感を得たいものです。「アメリカで唯一最大の——」というフレーズは彼らにとって信頼の証だったのです。

企業名によって権威を築きやすくなることもあります。私は以前、「アメリカン・シンボリック・コーポレーション」という会社を創設したことがありますが、社名からすると、大会社のようでしょう？　「ジャック&エド・ビデオ」ではどうにもなりません。コンピューター・ディスカウント・ウェアハウスという会社は知名度があるばかりでなく、名が体《たい》を表しており、権威づけにぴったりです。

■人は権威を重んじる

人が「○○の権威」といわれる存在を重んじるのは当然です。あなたがコンピューターの購入を考えているとしましょう。まずは近所でコンピューター博士とでも呼ばれている人に尋ねるのではないでしょうか。その人がダニーだとします。ダニーはコンピューターの権威として知られているので、あなたはぜひ彼のアドバイスを受けたいと思います。彼は何をどこで買えばよいかをあなたに伝授します。おそらくはそれなりの権威がある販売店を推薦するでしょう。低価格のところかもしれませんし、ベストサービスを誇るところかもしれません。そこはあなたのニーズ次第です。

権威づけのための表現を使わず、宣伝文のコピーやレイアウト、メッセージを通じてそれを感じてもらうことも可能です。販売しようとする商品・サービスの分野で権威を確立すれば、コピーの効果が見違えるように変わってきます。

ひとつ個人的に経験した事例をご紹介します。ラスベガスでビジネス用品店に入ろうとしていたら、若い女性が駆け寄ってきて、こう言うのです。「お願いがあります」

突然のことに面食らいました。最初は何か緊急事態だと思った私は「ええ、どうなさいました？」

彼女は目に涙を浮かべんばかりになって答えます。「コンピューターを買おうとして、いちばん気に入ったのをひとつ選んだんですが、その選択が正しいのかどうかを教えてもらいたくて。コンピューターについてご存じなら、お店でご意見を頂戴できないでしょうか？」

私は了解し、いっしょに店へ行きました。彼女はUNLV（ネバダ大学ラスベガス校）の学生。初めてコンピューターを買うので、これが賢い買い物かどうかを経験者に確認して安心したかったのです。

店内にはあまりコンピューターに詳しい人がいなかったようです。私は彼女が選んだコンピューターを見てみました。パソコンの知識は豊富だったので、彼女に言ってやりました。賢い選択だし、価値ある買い物だと。学校の勉強に役立ちそうな技術的特徴を指摘しましたが、彼女にはさっぱりわからなかったようです。でも、私が言うのだから正しい選択に違いないと思ってくれました。

■みんな間違いたくない

ほっとした彼女は私に礼を述べ、お目当てのコンピューターを買いに行きました。歩き去りながら彼女は振り返って言いました。「苦労して貯めたお金なので、ばかげた間違いをしたくなかったんです」

あなたが同じ立場でも、まずコンピューター通に電話して意見を聞いたのではないでしょうか。お金の使いみちが間違っていないという確証と安心をやはり得たいからです。何か価値あるものを買うときは、いつも同じことがいえます。安心がほしいのです。ただし、販売業者が専門家として信用できるなら、さきの女子学生の例のように外部の意見を求める必要はありません。

買い物したあとでさえ、それが正しかったと確認したくなるものです。ダイレクトマーケティングのコンサルタントだった故ポール・ブリンジはこう書いています。「大きな買い物をしたあとに私たちがまずするのは、それがよい買い物だったと他人に確かめることだ。家族、隣人、友人、仕事仲間に話をし、太鼓判を押してくれるのを待つのである」

JS&A社で電話注文を受けているときに驚いたのは、何人もの顧客が「これは御社のベストセラー商品に違いない」と言うことです。多くの場合、そうではなかったのにです。でも私が「あなたがお選びになったのは本当に人気商品ですよ」と言うと、彼らはきまって「やっぱりね」と答えるのです。誰もが正しい買い物をしたという安心感を必要としています。

8　相手に「満足」を確信させる

この見出しをご覧になって、試用期間の話だろうと思われたかもしれません。たしかに試用期間は「満足の確信」、つまりあなたが顧客満足を確信していることのひとつの表れです。「一カ月たっても商品にご満足いただけない場合は、ご返品くだされば全額払い戻しいたします」

しかし、私たちがここで言おうとするのはそのことではありません。もちろんダイレクトレスポンス広告のオファーには試用期間がつきもの。消費者は実際に商品を手にとって、それを使いつづけるかどうか判断する必要があります。つまり試用期間は買い手に一種の信頼を提供します。自分が求めているものでなければ考え直すことができるのです。

しかし、満足の確信とは試用期間に限ったことではありません。基本的にはあなたから見込み客へ次のようなメッセージを伝えることを意味します。「この商品をきっと気に入ってくださるでしょう。ですから、信じられないほどおトクな条件をご用意しております」

見込み客があなたのオファーを読んで「この会社は自社の商品に自信があるに違いない」とか「そこまでやるとは」とか「気前のよさにつけ込まれて顧客から食い物にされるんじゃないか」とか言ってくれれば、それがまさに満足の確信です。

例を挙げましょう。ブルブロッカーというサングラスを初めて扱ったとき、私はテレビCMで次のように言いました。「ご満足いただけない場合はいつでもご返品ください。試用期間はありません」

多くの人が「これはよい商品に違いない。さもなければこんなオファーはしないだろう」と考えたでしょう。あるいは「食い物にされてしまうぞ」と口にしたかもしれません。いずれにせよ、必ず満足してもらえるはずだから、めったにない条件を提示してもよいという確信を私は伝えたのです。

あるＣＭでは次のように言ったこともあります。「ご満足いただけない場合はお電話ください。私が自費で回収させていただき、返品にかかった時間も含めて全額を払い戻しいたします」

■確信が持つパワーの実験

以前、満足の確信が持つパワーを実験する機会がありました。コンシューマーズ・ヒーローという会社向けの広告で、私は低価格の修理済み商品を掲載したパンフレットの購読資格を売り出しました。

見込み客にただパンフレットを送るのではなく、クラブを設立したうえでパンフレットの購読資格を提供したのです。その七百語の宣伝文のなかで、さまざまな実験を行いました。キャッチコピーを変えてみることで反応は二〇％高まりました。価格を変えても反応はあまり変わりませんでした。ただし価格を下げれば下げるほど注文は増えました。しかし何よりも、満足の確信を変えると反応は倍増したのです。

ある宣伝文では「二年の購読期間中に何もお買い上げにならなければ、未利用の購読料をお返しいたします」と言いました。

もうひとつの宣伝文では「でも何も買わないまま二年の購読期間が終了したら？　ご安

心ください。会員証をご返送いただければ、五ドル全額とその利子分をお返しいたします」と述べました。

前者は基本的でシンプルな試用期間的オファーです。しかし後者は試用期間にとどまらない、満足の確信に分類されるオファーです。

この実験では満足の確信が宣伝文のいちばん最後だったにもかかわらず、反応は倍増しました。つまりこういうことです。読者は宣伝文をすべて読みました。そして重要な購入決定をすべき最後の最後まできて、満足の確信が、クラブ会員になることに対する一抹の抵抗をすっかり消し去ったのです。

読者を滑り台効果のプロセスに引き込み、宣伝文の最後まできたら、そのときこそやるべきことが山ほどあります。おわかりでしょうか。見込み客にオファーを説明しなければなりません。それはなぜ条件のよいオファーなのか、なぜ商品を買うべきなのか? そして、読者に踏ん切りをつけさせるための劇的な仕掛け――。いずれも販売メッセージの最後の箇所で行うのです。まるで販売員が注文を促したうえで、「いまお買い上げいただければ、ほかにはない好条件を提示させていただきます」と言うようなものです。

満足の確信は正しく使うことも重要です。理想的なのは、前述したように異論を想定し、それを解決すること。でも解決に際しては、人々の期待以上のことをしなければなりません。

コンシューマーズ・ヒーロー社の広告ではそれが効果的でした。最後まで残る読者の抵抗を完全に払拭できるようになっていたからです。まず「二年間に何も買わなかったらどうなるのか?」という読者の問いかけを想定します。それから満足の確信、すなわち読者の期待を上回るような条件を使ってこれを解決したのです。

ただし、満足の確信はオファーにふさわしいものであること。誤った解決策で異論に対応してはなりません。問いかけに対しては必ず正しい回答を与えてください。つまりオファーにふさわしいということです。

満足の確信は販売メッセージの重要なパートですが、そのことに気づいている人はほとんどいません。しかし、もし満足の確信を力強く実現できれば、それだけで業績がうんと上がることは請け合いです。

9 商品の本質を見つける

商品をいかにして売るかを判断するにあたって、これは非常に重要なポイントのひとつです。まず、どんな商品にも独自の個性、本質があり、それを見つけるのはほかならぬあなただということを認識してください。

その商品の「ドラマ」をどのように提示するか。どんな商品にも、それが提供すべき真のメリットや感情を表現し、できるだけ多数の人にそれを買わせるためのプレゼンテーションの仕方がひとつあります。

私が全国誌の全面広告で長年販売したマイデックスという防犯用アラームがありました。この商品の本質は何で、私はどのようにしてそれを買う気にさせたのでしょうか。詳しくは前にご説明しました。

このセキュリティシステムは商品の本質を表す一例です。独特の個性を持った一般的とはいえない商品であり、商品カテゴリーそのものが特徴的でした。それぞれの商品の本質を理解し、その強みを生かすことで、説得力があり心に訴えるプレゼンテーションが可能になるのです。

他の例を考えてみましょう。玩具の本質は何か。楽しいゲームです。したがって広告では楽しさを前面に出します。血圧計の本質は何か。血圧を確認するのに使う本格的な医療機器です。「本格的」という点にご留意ください。防犯用アラームの本質は何か。設置が簡単で、必要なときにきちんと作動し、居住者を保護しなければならない本格的な商品です。たいていの場合、商品の本質を理解・認識するのに必要なのは「常識」でしかありません。

販売しようとする商品の本質を理解しなければならないということを肝に銘じてください。さもないと効果的な販売は望めません。

10 タイミングを知る

アイデアが早すぎたり遅すぎたりした経験は誰にでもあるでしょう。セミナーの受講者たちも「タイミングを誤ってしくじった」とよくこぼしていました。

タイミングはもちろん流行と大きく関係しています。できれば流行にはその最初から関与したいもの。途中や最後に参戦したくはありません。流行のはしりをとらえるのが賢いタイミングです。

しかし、紹介されるのが早すぎたり遅すぎたりした商品はごまんとあります。それもタイミングの問題です。いつ新商品を出すか。その準備ができているか。そもそも、どうすればタイミングがわかるのか。

答えはきわめて簡単です。わかりっこありません。ですから私は、どんな商品も最初にテストします。消費者がタイミングの良し悪しを必ず教えてくれます。

犯罪が増えたときには防犯アラームを売り出すのが常識です。O・J・シンプソンの事件が解明されたときには、それに乗じる機会が数多くありました。メディアももちろんそうしました。

カーター大統領は一九八〇年にテレビ出演し、アメリカ人の借金が増えすぎだと警告を発しました。

「クレジットカードの使用をやめなさい」というのがその忠告です。何百万というアメリカ人がそのとおりにしました。ダイレクトレスポンス広告の反応率は一夜にして急落しました。事前のテストでは有望な結果だったのが、いまや損失がかさむばかり。明らかにタイミングが悪かったのですが、それは私たちのせいではありません。問題の原因を知ることで、私たちは気を確かに持つことができました。

タイミングが悪いのはいつかを知るのも大切です。私たちはかつて「ボーン・フォーン」という首に巻きつけるポータブルラジオを売り出しました。タイミングは完璧だったのです。「ウォークマン」が現れるまでは――。おかげで私たちの新商品は大打撃を受けました。

タイミング。それは商品を生かすこともあれば、殺すこともあります。

これも以前、カタログに電子血圧計を載せようと考え、メディアテストを行ったことがあります。結果はよいだろうと思っていましたが、ふたを開けると思った以上の好結果。これには私も驚いてしまいました。自信満々の私は、ふだん広告を出している全雑誌を動員して全国的な広告キャンペーンを打ちました。一度に三十万ドル（約三千三百万円）もの予算を投じて——。ところが広告掲載前の段階で、テストの報告書が誤りだったことが判明しました。テストでの反応はよいどころか、実際はかなり悪かったのです。

すでに広告の手配を終えていた私は覚悟を決めました。しかし偶然にも、タイミングがどんぴしゃりとなります。

広告が掲載されはじめるのとほぼ同時に、「アメリカ心臓協会」が定期的に血圧を計ろうという大型広告キャンペーンを開始したのです。私たちの売り上げは急増し、これまでにない損失を出すはずが大幅な利益へと転じました。そればかりか、定期的な血圧測定を人々に促した功績により、「延命協会」から賞までいただいたのでした。

11　所属の欲求にうったえる

所属の欲求はマーケティングにおける強力な心理的ファクターですが、よく認識されているとはいえません。それはどんなものなのでしょう。

人々はなぜメルセデスを所有するのか。なぜマルボロを吸うのか。なぜ一定の商品が流行するのか。おそらく、すでにその商品を所有または使用する人のグループに加わりたいと無意識に考えるからです。

マルボロを買う人は、広告代理店がこしらえた無骨な西部者のイメージを持つ喫煙者たちの仲間入りをしたい、と無意識のうちに考えます。

メルセデスを買う人たちはしばしば、メルセデスのオーナーという特別なグループに属したいと願います。ブレーキやサスペンションが特別だからでしょうか。ありえません。彼らは、他のクルマよりやや高性能だろうという程度のクルマを買うために、わざわざ大金を投じるのです。他のクルマに乗っても同じ速度で同じ場所に行くことができるのに、それでも聡明なる彼らは、メルセデスを買うためにはるかに高いお金を払います。

こうした例は枚挙《まいきょ》にいとまがありません。イメージが確立した商品をなんなりと挙げてみてください。すると私は、無意識の価値体系のどこかで、その商品を所有する人のグループに所属したいと考える消費者がいることをお示しできるでしょう。ファッション、クルマ、タバコ、電気製品などなどカテゴリーの如何《いかん》を問わず、特定のブランドを購入する消費者は、そのブランドをすでに所有する人のグループに加わりたいという欲求に動かされているのです。

ボルボは、その顧客ベースがクルマメーカーのなかでも最高の教育水準にあることに気づくと、この事実を公表しました。それから数年後に同じ調査を実施したところ、その水準はさらにアップしていました。これは私の推測では、ボルボ所有者のグループに仲間入りしたいがために、同じく教養の高い人々がこのクルマを新しく購入したせいです。

私は受講者たちから言われたことがあります。「いわゆる隠遁者《いんとんしゃ》はどうですか？　彼らにはまさか所属の欲求などないですよね」

私は答えます。彼らは隠遁者という人間のグループに属したいのだと。グループに属するというのは、必ずしも誰かといっしょにいたり社会的であったりすることではありません。おそらくキーワードは「アイデンティティ」でしょう。メルセデスの所有者は、同じくメルセデスを所有する人たちの集団の一員であるというアイデンティティがほしいのです。

一九七〇年代にカリフォルニアでロールスロイスを所有するというのは究極のステータスシンボルでした。それを所有する人がどれだけ一目置かれたかというのは想像を絶するほどです。クルマに対する意識が高い西海岸ではなく中西部出身の私には、ロールスロイスが西海岸の人にとって持つ意味を知るのはカルチャーショックでした。でもクルマそのものはといえば、いまや最も保守的で昔風のクルマのひとつです。

特定の商品を所有する人々のグループに属したい、それと一体化したいという欲求は、マーケティングやコピーライティングで知っておくべき最も強力な心理的ファクターのひとつです。しかし、その最高の事例は私自身の経験にあります。次の心理的ポイントとしてお話ししましょう。

12 収集の欲求をくすぐる

私自身がマーケティングにかかわった経験からいえば、人類には収集の本能が生まれながらにそなわっているに違いありません。

収集品を販売されている方なら、こうした衝動が存在すること、だからこそダイレクトマーケティングでこれを利用すべきことが理解しやすいはずです。しかし、よく見過ごされるのは、収集品以外の商品にもこれが応用できるという点です。

印刷媒体で時計を売ったとき、私はすでに時計を注文してくれたことがある顧客にダイレクトメールを出し、別の時計をさらに薦めました。反応は上々でした。時計販売用の最高のメールリストは既存の時計所有者で構成されていたのです。すでに持っているのに、なんのためにもうひとつ必要なんだとお考えかもしれません。それは間違いです。多くの人々がじつは時計を集めているのです。時計、サングラス、ジーンズ、ビデオやコンパクトディスクなど、収集の対象はきりがありません。

ＱＶＣの視聴者は人形を山のように集めており、私はいつも驚かされます。なかには子ども時代など遠い昔、というおばあさんもいますが、彼女らこそＱＶＣ一の熱心なコレクターであり、何十もの人形を持っています。

ＱＶＣではモデルカー（小型の模型自動車）も販売しており、一番の人気商品のひとつとなっています。また、それに勝るとも劣らず、さまざまなスタイルの「ブルブロッカー」サングラスを集めている視聴者も何千といるはずです。

印刷媒体であれテレビであれ、ものを売るときには、同じような商品を集めたいという情緒的欲求を持つ人々がとにかくたくさんいるということを認識してください。こうした商品は大きな喜びや満足をもたらし、時には実用性をもたらします。

本物のクルマを集めるマニアもいます。金銭的余裕のある人であれば、最高で何百台ものクルマを収集しているケースもざらにあります。いったいどんな情緒的欲求をかなえているのでしょうか？

ダイレクトマーケティングに携わる者がこの収集本能を最大限に利用する方法のひとつは、コレクションを収めるちょっとした品物を初回発送時に無料提供することです。

私はかつてフランクリン・ミント社が出している飛行機の尾翼シリーズを注文したことがあります。さまざまな航空会社のロゴを浮き出させた銀色の尾翼です。最初はそれを集めるのに関心があるからというよりも、フランクリン・ミント社のプログラムがどのようなものかを確かめるためでした。

私が受け取ったのは美しい収納ボックスです。銀色の尾翼をそれぞれ収めるための切り込みがありました。尾翼は一カ月に一度届き、そのたびにひとつずつ収納ボックスにセットします。新しい尾翼を収納するたびに私はコレクションを眺め、それが徐々に増えていくことを誇らしく感じました。ようやく収納ボックスがいっぱいになると、来客があったときに完成したコレクションを見せることもできました。私はやっとのことでわれに返って収集をやめましたが、投じたお金はかなりの額になっていました。調査のためだったはずなのに――。

そもそも、このコレクションは一種ばかげていました。航空会社は統廃合や名称変更を繰り返し、フランクリン・ミント社でさえついていけなかったのです。

しかし、この経験を通じて私は、コレクターに販売するチャンスが豊富にあることを確信しました。

13 好奇心をあおる

私が得意とするダイレクトマーケティングを成功させる主な心理的要因をひとつ挙げるなら、それは好奇心でしょう。

小売りの場合は商品に直接触れて判断することができますが、通販ではそれができません。商品は見た目もよく、顧客の期待どおりに機能するかもしれませんが、それでも見込み客をその商品に引きつけるだけの好奇心がつねに必要です。「この商品は本当はどんなものだろう?」というのが彼らの典型的な思いでしょう。

ブルブロッカー（サングラス）をテレビで販売したとき、私はこれでもかというくらい意識的に好奇心をあおりました。路上で見つけた一般の「被験者」にブルブロッカーを実際にかけてもらい、その反応をビデオ撮影します。反応がたいへんよかったものをテレビで流すと、視聴者は次のように思いました。

「これをかけるとどのように見えるんだろう?　あのオレンジのレンズのサングラスはみんなを夢中にさせているけれど」

サングラスを通して見える光景をテレビカメラで撮ることはしませんでした。そうすれば好奇心はぶち壊しですし、サングラスの本当の機能を伝えることもできません（レンズを通して見たときの色ずれに脳は順応するが、テレビカメラは順応しない）。

私はむしろどのように見えるかを示さないことで、好奇心を高めました。それを知るにはブルブロッカーを買うしかありません。そして視聴者は実際に買ってくれました。その数は、六年間続いた一連のコマーシャルを通じて約八百万にのぼったのです。

好奇心は書籍でも効果的です。この本を読めば何がわかるかを語って、見込み客をじらすことができます。実際、本を売るうえで顧客の最大の動機づけとなるのは好奇心であり、それは評判や信用にも勝ります。

見込み客は商品に触れることもそれを経験することもできないので、通販では好奇心が最大の動機づけ要因となります。一方、小売りの場合はその場ですぐ満足できることが最大の要因です。したがって、その事実を認識したうえで、たとえばフェデックス（国際宅配便）で商品を届けることができたら、通販の好奇心を活用し、かつ小売りの利点にも近づくことになります。

私は好奇心というファクターに完全に依存した商品を販売したことがあります。それは一九七三年のこと。商品の写真をいっさい出さずにポケット電卓を売り出しました。そうした抑えがたい好奇心をくすぐることで、ポケット電卓は何千と売れました。もちろんおトクな価格で商品もよいものでしたが、商品を見せず、ブランド名さえ出さずになお、販売メッセージの魅力を維持することができたのです。

あなたは商品を売る際に好奇心をどのように利用されますか？　まず、本を売る場合は好奇心が重要な要素となるため、これを主な販売ツールとして使うべきです。しかしまた、好奇心をそそって需要を喚起するために、あえて「ストーリー」の一部を出し惜しみする商品も数多くあります。

見せすぎや語りすぎは、好奇心のメリットをなくしてしまうおそれがあるのです。

インフォマーシャル関連の業界紙を発行する友人のスティーブ・ドーマンは、私がブルブロッカーのコマーシャルで好奇心を主な販売ツールに使って成功したという話に興味を引かれました。彼は思ったのです。「同じテクニックを使って、テレビでは売れないものをダイレクトレスポンスのコマーシャルで売れないだろうか？　たとえば香水のようなものを」

そこで彼は、好奇心を主な動機づけとしたコマーシャルを撮影しました。

コマーシャルでは全員が香水を褒めちぎりましたが、視聴者としてはスティーブの商品を買わないかぎり、テレビでその香りをかぐ方法はありません。このコマーシャルは十分な好奇心を引き起こしたのです。

言いすぎや見せすぎなど、好奇心のパワーを使いそこなった経験がないでしょうか？

それは有力な動機づけ要因のひとつなのです。

14 切迫感をもたらす

これはすでにおわかりかもしれません。たとえば、見込み客に売り込んだところ、あなたの商品を信用し、いつでも買ってくれそうです。しかし、例によって、彼／彼女は言います。「ちょっと考えさせてください」

こうなったらまず買ってくれません。理由はきわめて筋が通っています。第一に、時間がたてば、あなたの書いた優れた販売メッセージも忘れ去られてしまうということ。第二に、幸い忘れ去られないとしても、最初に読んでもらったときほどのインパクトはないということ。「去る者日々に疎《うと》し」とはよく言ったものです。

ですから「牛歩戦術」を避けるために、いますぐ買う理由や動機を見込み客に提供する必要があります。実際、これに成功すれば、顧客はいますぐ買わないことに罪の意識さえ感じるものです。でも、どうすればよいのでしょう。

まず、してはならないことから。見込み客は時間をかけてあなたの広告を読み、買う気になっています。このとき、宣伝文の最後で、真実ではない内容を述べ、せっかくの誠実さをふいにしてはなりません。

「数日以内にお申し込みいただかないと売り切れ必至です」などの嘘八百は見込み客をしらけさせてしまいますから、ご注意ください。最後に述べるのは真実でなければならず、またそれまで表されてきた誠実さを維持するものでなければなりません。

では、いますぐという切迫感を生むために何ができるでしょう。宣伝文そのものが切迫感に満ちている場合は何も言う必要はありません。たとえば以前、私は訂正広告を出したことがあり、そのなかで計算機の価格は間違いで正しくは二十ドル（約二千二百円）高い、しかし新価格が有効になる前に数日間だけ旧価格でこれを買うことができると述べました。このアプローチは宣伝文に欠かせないものであり、明確で現実味のある切迫感を提供しました。

「限定版」のオファーによって切迫感を伝えることもできます。「わずか千部限定。これが最後の広告です」と言えば説得力があり、買い手もすぐにアクションを起こします。

切迫感に優れた宣伝文でも、致命的な誤りがあればその効果はそがれます。致命的な誤りとは、買い手が意思決定するのに必要な重要情報を忘れることです。すると買い手は「聞きたいことがあるのだが、電話して尋ねるほどのヒマはない」などの言い訳ができます。つまり、いかに切迫感に満ちた宣伝文でも、重要な情報を抜かせば台無しということです。

切迫感はいろいろな方法で出すことができます。限定供給、見切りセール、価格アップ、品不足、期間限定価格、限定版……。「いまご購入になれば、あすからこのメリットをご享受になれます」というのはどうでしょう。あるいは「三日以内にご購入いただければ、無料でもうひとつサービス」というのも可能でしょう。

切迫感をもたらすもうひとつのやり方は、発送方法によるものです。

「（特定の日付）までにご注文いただければ、フェデックスにて発送いたします」あるいは「（特定の日付）までにご注文いただければ、この素晴らしい商品を全国発売に先がけて特別にご購入いただけます」

私たちは新商品の発売に際して「全国発売特別価格」という表現を必ず使っていました。それほど意味はありませんが、発売時の特別価格だからいずれ値上がりするかもしれないと匂わせる効果はありました。実際には計算機や電化製品の価格は下がりつづけましたから、結果的にこの表現の使用は打ち切りましたが。

想像力さえあれば切迫感を生み出す方法はいくらでもあります。そのための表現はつねに宣伝文の最後に持ってくるようにします。ちなみに宣伝文で大切な場所があるとすれば、それはいちばん最初といちばん最後。切迫感やその他の重要なコンセプトを混然一体と表現すべき場所はいちばん最後です。

15 素早い満足を提供する

これは小売りの大きな強みです。考えてもみてください。小売りの場合は商品を選んで手にとり、十分に吟味することができます。購入決定をしたうえで家に持ち帰り、すぐに使うことができます。しかし、もしあなたがダイレクトマーケティングをするならそれができません。

したがってこれを補うためには、顧客に対して、すぐに発送するので数日以内に商品が届くという安心感を与えなければなりません。

こうした「素早い満足提供」すなわち迅速な発送を実現しようとするダイレクトマーケティング関係者の努力が実って、小売業の強みが必ずしも強みではなくなりました。

たとえばコンピューター関連の通販会社に電話をして月曜の朝にソフトウェアをひとつ注文し、その日の夜にそれを使うことができる時代です。店まで出かけて車を停め、売り場を探し、店員とやりとりするという手間を考えればよっぽどラクです。

コンピューターの通販業界からはデルやゲートウェー2000など、翌日配送を売りにする巨大企業が現れました。

このように、もし小売店の持つ強みを生かしたいと思われるなら、どんな小売店よりも速く商品を発送・配達し、どんな小売店よりも優れたサービスを提供する方法を考えなければなりません。

16 希少価値／独自性をアピールする

これは正しい商品、正しいシチュエーションを決定づける強力なファクターです。基本的な考え方は、ある特定の商品を買えば特別の存在になれると見込み客に感じさせること。つまり、その限られた商品を所有していることを羨まれる数少ない人々の一員になれるというわけです。

これは感情面に訴える効果が絶大です。誰もが特別な存在になりたいからです。持っている人が、ほとんどいない商品を所有したい、そんな数少ない所有者の仲間入りがしたい――それはほとんどの人が望むことです。

マーケティング会社のなかには、生産数を制限することで消費者に強力にアピールしているところがあります。いまや数億円企業となったフランクリン・ミントは、いわゆる

「限定版」を前提に設立されました。コインに始まり、皿やカップ、モデルカー、人形など、あらゆるものを扱っています。生産数を限ったコレクションものは、なんであれ同社にとって恰好の販売対象でした。

限定版の背後には、価値の提供という思惑もあります。みんなが多種多様な品物を収集するなかで、同じ商品を集める人が出てくれば、その品物の価値は高まります。やがてそのコレクションはマスマーケットの注目を集め、さらなるコレクターが参入します。そうなればコレクションの価値は上昇の一途をたどりはじめます。

そうした収集品の数が限られていれば、価値はますます高まるでしょう。屋根裏で値打ちのある家宝を発見！　などという話もつきものです。もちろん例外はあります。さきにふれた航空機の尾翼コレクションなどがそうです。

希少品の魅力のひとつは、数が限られているので、将来的に価値が上がるかもしれないということです。

希少価値が持つ力を痛感したのは一九八〇年十月、ウィスコンシン州ミノクアでのこと。セミナーを終えたばかりのころでした。

セミナー会場には参加者の娯楽用に六台のスノーモービルを常備していました。冬のセミナーの受講者たちに休憩時間に使ってもらっていたのです。スノーモービルの運転はとても楽しく、みんなのお気に入りでした。そんなある日のこと、マテル・エレクトロニクス社の社長、ジェフ・ロクリスがスノーモービルの事故で腕を骨折してしまいました。それをきっかけにスノーモービルを利用することはなくなりました。

六台のスノーモービルは使う人もなくガレージに放置されたまま。私はある日、好奇心から、その六台を買った地元のスノーモービルショップに行ってみました。もちろん一台も買う必要はありませんでしたが、新しいモデルにはどんな改良が加えられているのかを見てみたかったのです。

ショップに入ると私は店員に尋ねました。「やあポール、今年のモデルはどうだい？」

ポールは店内に展示されたスノーモービルのところへ私を案内して言いました。「こいつが油冷式のニューモデルだよ。最高時速百六十キロ以上、値段は二千六百ドル（約二十八万円）だ」

当時、スノーモービルの価格は千ドル（約十一万円）足らず、最高時速は六十五キロ前後でしたから、この新モデルは間違いなく特別でした。しかし、特別であろうがなかろうが、私はすでに六台持っており、もう一台も要りません。私はポールに向かって率直に言いました。「時速百六十キロ、二千六百ドルなんていうスノーモービルを誰がほしがるんだい？　ばかばかしい」

ポールはにやりと笑いました。「今年、州全体で売られるのは六台限りだ。ウチが扱うのはそのうち二台だけで、一台はもう売れちゃったよ」

私は思わず「これ、もらった」と言ってしまいました。そう、結局は購入したのです。このパワフルな新型マシンの数少ない所有者のひとりになりたかったからです。他にはないグループの一員、特別な存在になりたかったのです。本当はまったく必要なかったのに、私はスノーモービルを購入し、そのことに満足していました。

希少価値や独自性の持つ力に気づかせてくれたのが、この出来事でした。

17 シンプルにする

宣伝文はシンプルでなければなりません。商品のポジショニングはシンプルでなければなりません。オファーはシンプルでなければなりません。要するに、メッセージを伝えながらも、プレゼンテーション全般をできるだけシンプルにする必要があります。

シンプルなものを複雑にするほうがよいこともあります。それは「商品説明」の項で述べました。しかし、そのルールが当てはまるのはマーケティング上の問題について。ここでは簡潔さという基本的な心理要因を扱います。

宣伝文が簡潔であるとはどういうことでしょう。集中することだ、と私は受講者たちに言います。達成しようとする事柄に集中し、説明を複雑にするものや不必要なものは排除します。

小学三年生でも読める簡単なコピーを書けということではありません。シンプル、簡潔とはそういうことではありません。コピーは教養の高い人だけでなく、教育水準がさほど高くない人も読むことができ、内容が明確に伝わるものでなければなりません。レベルを上げたり下げたりして書くのはよいスタイルではありません。

難解な言葉を用いるのは、レベルを上げて書く一例です。難解な言葉でカッコをつけようとしても、それに馴染みのない人は戸惑うばかりです。シンプルでわかりやすい言葉を心がけてください。言葉とはすなわちストーリーであり、感情に訴えるイメージです。一語一語が時に思いもよらないインパクトを持ちます。シンプルな言葉こそ最大の影響を及ぼします。誰もが理解できる言葉のほうが、たいていの人が理解しづらい言葉よりも大きな影響をもたらすのです。

また、レイアウトもシンプルに。あちこちに目につくカラーバー、奇をてらった読みにくい書体、コピーから目をそらすラインなどは理解の妨げになるというテスト結果があります。奇をてらった書体は見た目によい場合もありますが、理解度のスコアはたいがい最低です。

■シンプルさは強力なツール

ものごとを複雑にする傾向がある人は、注意が必要です。書体、商品の提示方法、オファーなどを決めるにあたって、この重要なポイントを押さえてください。

シンプルであることがいかに有効かを物語る実例をお話ししましょう。それは親友であり偉大な講演家でもあるマレー・ラフェルが連絡をよこしたときのことです。彼はスイス・アーミーウォッチの開発者とコネがあり、それを米国で販売することに関心があるかと私に尋ねてきました。私はイエスと答えました。その商品ラインナップを見せてもらうための打ち合わせが設定されました。

打ち合わせで見せられたのは三つのモデルと各モデル三色の組み合わせ――全部で九種類のアーミーウォッチです。モデルは男性用、女性用、子ども用の三つ。色はブラック、レッド、カーキ。私はそれらの時計を吟味し、その歴史を学び、時計そのものについてはずいぶん詳しくなりました。そこで大きな問題が持ち上がります。

「ミスター・シュガーマン、ご覧になっていかがですか？」

私は時計を見て少し考えてから言いました。「コンセプトをテストするために、男性用のブラックを『ウォールストリート・ジャーナル』に掲載したいと思います」

時計会社の幹部は当惑気味でした。「なぜ全モデルを出されないのです？　九種類オファーすれば、もっと多くの人にリーチできるのに。男性だけでなく女性や子どもにも販売できるし、色も選んでもらえるのですよ」

私は答えました。私の経験ではシンプル・イズ・ベストである。顧客に提供する選択肢が多すぎるのは危険であると。

しかし、私がどう言おうと彼らは納得しません。「選択肢が増せば売り上げも増すというのがものの道理というものですよ、ミスター・シュガーマン」

そこで私は、私の言い分が正しいと証明するためのアイデアを思いつきました。「A／Bスプリット」と呼ばれる二種類の広告を出すという提案です。つまり『ウォールストリート・ジャーナル』が同じ広告の二つのバージョン（バージョンAとバージョンB）を印刷し、同じ地域に同時に届けるというものです。したがって、ある家はバージョンAを受け取り、隣家はバージョンBを受け取るかもしれません。二つの広告をテストしてどちらのアプローチがよいかを判断するには、きわめて有効な方法です。

私はこのテストを提案し、ほぼ同じコピー、グラフィックスの広告を二種類掲載しました。違いがあるとすれば、広告Aでは大きさが比較できるように男性用と子ども用を並べて見せ、広告Bでは男性用だけを見せたということ。そして広告Aでは九種類すべてを列挙し、広告Bでは一種類だけを載せました。

広告A

広告B

広告Ａのオファーは９種類、広告Ｂは１種類だけだが、両者とも実質的には同じ広告。

広告ができあがったときは、じつは選択肢がひとつしかないバージョンBよりもバージョンAのほうがよさそうに思えました。ところが両者が掲載されると、男性用の一種類だけを紹介したBが九つのモデルを紹介したAよりも反応がよかったのです。その差はなんと三倍。Aの時計ひとつにつきBの時計三つが売れたことになります。

消費者を混乱させるほど選択肢が多いと尻込みして買ってもらえなくなるということを、私はほとんど直感的に知っていました。

では、これら九つのモデルはいつ示せばよいのでしょう。追ってカタログに掲載します。スイス・アーミーウォッチに関心がある人々を探し当てたところで、今度はカタログで九つのモデルすべてを見せるのです。カタログが届くころには、彼ら顧客は時計の買い手としての「資格」が十分。いまこそもっと選択肢を提示することができます。

簡潔さのパワーを証明する事例をもうひとつ。ある錠剤の三十分のテレビコマーシャルをつくっているときのことです。「ミラセル」と呼ばれるその錠剤は、皺《しわ》とりとスキンケア効果がある画期的な商品でした。私自身も数カ月間試し、その劇的な効き目を実感していました。ダブルブラインド（二重盲検）試験を二度行って、効果も実証済みでした。ただ、大きな問題がひとつありました。

最大限の効果を得るには、最初の三カ月は一日二錠、その後は一日一錠飲まなければならなかったのです。

これはシンプル・イズ・ベストの原則に反しているため、消費者が混乱するのではないかと懸念されました。連続性のある商品は最初に買いやすくし、あとで値上げするものです。たとえば、テレビで宣伝しているビデオシリーズの第一巻はわずか五ドル（約五百五十円）程度でしょう。シンプルなオファーですし、高くもありません。そこであなたは第一巻を購入しますが、シリーズの残るビデオを手に入れるには、その後一年間にわたって毎月一巻十九・九五ドル（約二千二百円）を払わなければなりません。

ミラセルはその逆でした。最初の三カ月は四カ月目以降の二倍コストがかかります。私は最初の三カ月は一日二錠、その後は一日一錠飲むことを薦めようとしているのです。これでは混乱しますし、簡潔でもありません。

そこで私は、このコマーシャルを必ず成功させるために二つのことをしました。なにしろすでに何十万ドルものお金を注ぎ込んでいたのですから。まず、私の説明のあとにも（念押しとして）、その服用方法がいかに効果的かを案内役に語ってもらいました。予想されるすべての質問に対応できるよう、複雑なオファーの説明にほぼ三分を費やしました。

しかし、このオファーは複雑すぎるという気持ちがまだどこかにありました。そこで万一のために、もうひとつのオファーを用意したのです。このセカンドバージョンは次のようにシンプルなオファーで撮影しました。「ミラセルは一箱二十五ドル（約二千七百円）。一箱で一カ月持ちます」それだけです。とても簡潔でわかりやすいメッセージです。最初の三カ月は二倍の服用量を提供しなければなりませんから、もしこのセカンドバージョンが奏功し、最初の複雑なバージョンが受け入れられなかったら、三箱分が持ち出しになることは承知のうえでした。

はたして、テストをしたところ、受け入れられたのはシンプルなほう。何倍もの反応があったのです。結果的にはオファーをシンプルにし、服用方法をシンプルにするために、膨大な量の商品を無料提供することになりました。

簡潔さは宣伝文に欠かせることのできない要素です。ご紹介した二つの事例は、私が長年のあいだにさまざまなメディアで経験したケースのほんの一部にすぎません。

18 つねに人間的な観点を大切にする

商品やサービスをつねに人間的な観点で語ることが大切です。いかに体に馴染むか、どんな手ざわりか、どんな外観か――語り方はそれだけではありません。わかりきったことだと思われるかもしれません。

しかし、コピーやグラフィックスによって広告に人間的な要素をもたらす方法は他にもあるのです。それはなぜ重要なのでしょう。

ものを買うというのは、苦労して稼いだお金を商品やサービスと交換する行為、人間としての感情がこもった行為です。汗水を流して手に入れたお金ですから、それを渡せば済むという問題ではありません。**購買というのは情緒的な出来事なのです。**

■見込み客との「共振」をねらう

ここでしばし物理の学習です。「音叉《おんさ》」を考えてみましょう。あのU字型をした金属です。二股の一方を鳴らすと振動音が聞こえます。では周波数が同じ音叉が二つあるとしましょう。片方を鳴らすと、それに接触していないのに、もう一方も振動しはじめますね。

この実験をもう一歩進めて、数個の音叉をいっせいに鳴らすとします。するとひとつの調和周波数が生じます。その複合された周波数がわかったとして、これと同じ周波数の音叉を持ってくると、他の音叉と共鳴して振動しはじめます。

宣伝文を書く場合、顧客がコピーと完全に共振するような状態をつくることが重要です。宣伝文のあらゆる要素を読者と共振しなければならない音叉の数々に見立てれば、そこには販売プロセスで生じる力学の貴重な全体像が浮かび上がります。

この音叉はキャッチコピー、次の音叉は写真、これはキャプションという具合に、第一センテンスを経て最終オファーまで――。印刷広告では、宣伝文の各要素を通じて振動が伝わらなければならないのです。

こうしたポジティブな振動を生み出すには、まず見込み客にコピーを読んでみたいと思わせること、次に彼らと「波長を合わせる」ことです。

ストーリーを語ることで人間的な要素を加えることができます。ストーリーは人々の関心を持続させます。詳しくは後で述べます。あるいは署名広告にして、一人称の会話調でコピーを書くこともできます。こうすれば個人から個人への直接的なコミュニケーションという色合いが強まります。軽いタッチでユーモアを使っても、見込み客との人間関係を高めることができるでしょう。ユーモアは庶民的な語り口を可能にします。あるいはマジック・スタットの広告のように、商品・サービスのマーケティング担当者の「人間らしさ」を引き出します。

小さな商品であれば、それを持つ手の写真を使うのも一案。人の手は大きさの比較になると同時に、人間的要素を付加します。

魅力的なモデルを起用するのもよいでしょう。人は自分のことはさておいて美人や美男子に弱いもの。ある意味では写真のなかの人たちに仲間入りしたいのです。一方、読者に反感を買うと思うなら、自分自身の写真は使わないほうがよいでしょう。B級映画に出てくる髭《ひげ》の悪役という人相ならなおのことです。

要するに、ネガティブな情動を引き起こさずに、できるだけ多くの人間的要素を広告に盛り込むのです。

それがうまくいけば宣伝文には独自の「振動」が生まれ、それに呼応できる人は、まるであなたと知り合いであるかのように感じることでしょう。

19　罪悪感を与える

慈善団体からちょっとしたギフト入りの郵便を受け取ったことがありませんか？　ギフトはたいてい住所ステッカー、色鮮やかな切手など、お金のかからない小物です。あるいは、一ドル札や切手を貼った返信用封筒が同封されたアンケートはどうでしょう？　いずれの場合もかすかに罪の意識を抱かれたのではないでしょうか。

多少とはいえ価値があるものを受け取ったお返しに、寄付をするとかアンケートに回答するとか、なんらかのアクションを起こす必要を感じるというわけです。罪悪感を利用した事例といえます。では、ステッカーや一ドル札を入れることができない印刷広告の場合は、どうやってこのテクニックを使えばよいのでしょう。

私の宣伝文を読んだ人の多くは、商品を買わざるをえないだけでなく、買わなければ悪いという気持ちになると言います。ステッカーや一ドル札をプレゼントする代わりに、私は魅力的な情報や読む楽しさを読者にたっぷり提供します。それゆえ読者は、反応しなければならないという義務感を抱くのです。印刷広告の場合、いくつかの雑誌で広告を繰り返し見ただけでも、わずかな罪悪感が生じることがあります。

同じように、郵便を繰り返し送れば罪の意識をもたらすことができます。何度も郵便を送りつづければ、送られた人はそのうち、反応しなかったことを悪いと感じるでしょう。スキーリフト・インターナショナルという会社のためにスキーリフトを販売したとき、私はこのテクニックを利用しました。毎週のように景品入りの簡単な郵便を送ったのです。あるときはボタン付き、あるときは風変わりなパッケージ、はたまたインボルブメント・デバイスという具合。

しばらくすると罪悪感にかられた反応がたくさん届きました。もっと早く反応すべきだったという謝罪さえあったほどです。

20 具体性を持たせる

説明は具体的に。これは信用を高める重要なポイントです。まず例を挙げましょう。「全国の歯医者さんがギャップスナップ歯磨き粉を使用し、これを推薦しています」と言ったとします。典型的な宣伝言葉で商品を売るための大げさな表現です。あまりに一般的な言い回しなので、視聴者はこれを割り引いて考えるでしょう。いや、ほかに何を言っても割り引いて理解されるはずです。でも、「歯医者さんの九二%がギャップスナップ歯磨き粉を使用し、これを推薦しています」と言えばもっと信用できるでしょう。具体的に調査した結果が九二%だったと消費者は考えるのです。

一般的な表現を使って、大げさだとかいかにも宣伝的だとか思われたら、話半分に受け取られるのが関の山です。これに対して、具体的な事実を盛り込んで表現すれば、大幅な信頼アップにつながります。

私はかつてバットラム・ギャラリーズという収集品を扱う会社を設立し、その宣伝文を書いたことがあります。そのなかで私は、広告掲載費や製品原価を正確に記し、このオファーが一銭の儲けにもならないことを具体的な数字で実証しました。結果は大成功。予想以上の申し込みがありました。このテクニックはビデオでも使ったものです。

ブルブロッカー（サングラス）のインフォマーシャルでは、なぜ青色光が目によくないのかを具体的に説明しています。青色光は他の色のように網膜（目のフォーカシング・スクリーン）上で焦点を結ぶのではなく、網膜の手前で焦点を結びます。したがって青色光を遮断すると、網膜上で焦点を結ばない光線が遮断され、ものがよりはっきりシャープに見えるのです。具体的で信用できる説明です。たんに「ブルブロッカーのサングラスをかければなんでもはっきりシャープに見えます」と言うのとは雲泥の差です。

体の循環機能にかかわる商品を説明するなら、「何キロメートルもの血管」ではなく「三百九十キロメートルの血管」と言えますし、足の裏について語るなら、「足の裏にはたくさんの神経終末が集まっている」ではなく「足の裏には七万二千の神経終末が集まっている」と言うことができます。それは一般的な表現、漠然とした表現とは正反対の「事実」です。事実は信用を高めるのです。

■専門家らしさが信用を高める

具体的であることのメリットはもうひとつあります。売ろうとする商品の専門家らしく聞こえるのです。その商品を徹底的に吟味し、知識もきわめて豊富だという証が具体性です。これもまた信用や信頼を高めます。

人は概して宣伝に対して懐疑的で、その文言をいちいち信用しない傾向があります。しかし、正確な事実と数字に基づく具体的なメッセージを送れば、その信頼度は大きく向上するのです。

21 親しみを感じさせる

香港の九龍地区は刺激に満ちているとはいえ、香港でも異色の場所です。立ち並ぶ店々、雑踏、さまざまな音やにおいがかたちづくる独特で刺激的な街。そこは違う場所です。九龍に来ると、アメリカは遥かかなたとの思いにとらわれます。

私はその街の活力を吸収しながら通りを歩き、たまに店を覗いたりしていました。そのときです。目の前を、アメリカでつきあいのあるサプライヤーのひとりが歩いていたのです。

なんという驚き。そして、香港のような見知らぬ心細い場所で知り合いに出会うとは、なんという喜び。

彼とはそれほど親しかったわけではありませんが、私は唐突に親しみを感じました。彼を夕食に誘い、しばしの時間を彼と過ごしました。その結果、常日頃なら考えられないほどの買い物を彼からすることになったのですが。見ず知らずの場所で知り合いに出会うというコントラストはたいへんな魅力を引き起こします。それは宣伝文についても同じです。

■旧友としての広告をめざす

雑誌を読んでいて、何度も見たことがある宣伝が目に留まり、ロゴや社名に見覚えがあれば、親しみがわきます。馴染みのない広告主ばかりの環境で友人に出会ったようなもの。その企業は他人とは思えません。親近感を覚え、そのオファーに引きつけられます。私が香港でサプライヤーに引きつけられたのと同じです。

繰り返し広告を出したり、見込み客に馴染みがある名前の商品を売ったりすれば、同様の効果が得られます。だからブランドが大事なのです。だから馴染みのある購買環境が大事なのです。

ホームショッピング・チャンネルのQVCに初登場した際、私たちはブルブロッカー（サングラス）の在庫を数分のうちに売り尽くしました。ドラッグチェーンのウォルグリーンの棚にブルブロッカーが初めて並んだときは、数日で売り切れました。

つまり、私たちの商品は消費者によく知られていたのです。馴染みのある購買環境でブルブロッカーを紹介するたびに、その周知の環境と周知のブランド名とが相まって、即完売が実現したのです。

「馴染み」や「親しみ」を表す英語のfamiliarやfamiliarityという言葉にはfamily（家庭、家族）という語が含まれています。人は家庭にいるときが最も落ち着くものです。心強さや安心感があるので無防備にもなれます。馴染みがある存在ならなんでも同じです。人はブランド名に安心感を覚え、それが正しい商品であると確信し、購入に至ります。

最大の誤りのひとつは、長年続いたキャンペーンをそれに飽きたからといって打ち切ることです。「フレンドリースカイの旅」（ユナイテッド航空）や「きょうはひと休みしよう」（マクドナルド）は、消費者に親しまれた数少ない事例です。彼らはコマーシャルに合わせて歌ってさえいました。これまでの広告の世界では、視聴者や読者よりも先にクライアント自身がコマーシャルに飽きていたのです。

ダイレクトマーケティングでは、広告やキャンペーンを打ち切るとの決定は恣意《しい》的なものではありません。売り上げの低下という事実によって「潮時」を知らされるまで、広告掲載を続けます。注文が来なくなったら、もっと反応を呼ぶ広告に切り替えます。

ダイレクトマーケティングの優れた手法とは、改善が見られるまで絶えず広告を修正したり「微調整」したりすることをいいます。飽きたからといってキャンペーンを打ち切ってはなりません。それを打ち切るのは、人々が自分たちのお金をあなたの商品・サービスと交換しなくなったときだけです。

昔ながらの代理店はこんな言い方をするでしょう。

「われわれのスローガンについてフォーカスグループに尋ねたところ、そろそろ飽きてきたとのこと。変えどきですね」

これもおかしな言い方です。売り上げによらずにコマーシャルの効果を検証する方法などありません。フォーカスグループはあなたが期待しているであろう内容を語るだけで、彼ら自身がどう行動するかを語ってはくれません。商品が売れなくなったそのとき、キャンペーンをチェックしてください。おそらくはキャンペーンのせいですらなく、競合他社やマーケティングミックスの他の要因によるのかもしれませんが。

■馴染みのある言葉を使う

大部分の人にとって、またそもそも人間の意識にとって馴染みの深い言葉というものがあります。たとえば、一から十のうちパッと思い浮かぶ数字を挙げてくださいと言えば、七が圧倒的な確率で選ばれるでしょう。ですから『人間関係を高める七つの方法』だとか『成功を導く七つの精神法則』だとか、本のタイトルに七を使うのは、一から十のうち最も馴染みがある数字だからということになります。つまり昔からの友人のように、読者と一体化することができるのです。

とっさに思いつく色を尋ねたら、たいていは「赤」という答えが返ってくるでしょう。家具であれば「イス」でしょう。読者との微妙な一体感をもたらす馴染みの言葉というものがあり、それを探して使うかどうかはあなた次第です。

相手の反応を引き出す効果的な言葉についてはたくさんの本が出ています。デビッド・オギルビーやジョン・ケープルズの著作は一読に値します。「セールス」や「無料」など影響力の強い言葉が存在します。また、それほど明白ではない言葉もあります。いわばあなたの商品ならではの言葉、商品の熱心な信奉者としてあなたがそもそも知っている言葉です。それから、あなたの意識下にもなければ本にも載っておらず、テストしなければわからない言葉があります。時に、千語の宣伝文のわずか一語を変えるだけでも反応が倍増します。

書き手として、商品やサービスに心地よさを感じさせる「親しみ」の力を理解しておきましょう。何度も登場して人々の心に焼きついたブランド名やロゴ、あなたの広告であると直感させるレイアウト、人々が共感できる馴染みのフレーズ（常套句ではない）や言葉の重要性をご認識ください。親しみやすさを生むこれらの要素は、あなたと見込み客のあいだの絆を築くのです。

22 希望は大きな動機づけになる

ものを買うというプロセスにおいて、希望は大きな動機づけとなります。女性は皺とり効果があるという希望を与えてくれる新しいフェースクリームを購入します。ゴルフ好きの人はスコアがよくなるという希望を与えてくれる新しいゴルフボールを購入します。

つまり、商品・サービスを利用すれば将来的なベネフィットが得られるという可能性が暗示されるのです。将来のベネフィットが確約されたり保証されたりすることはありません。それは夢、空想であり、せいぜい可能性でしかありません。

ラジオやコンピューターといった他の商品を買った場合は、ベネフィットや保証が提供済みですが、希望とはこうした現実に取って代わるものです。特定の商品に果たす希望の役割を、私の個人的な体験からご説明しましょう。

一九九六年、私はある科学者に紹介されました。彼は人間のさまざまな病気を治癒する薬剤を開発し、大成功を収めたとされていました。この薬剤には彼が「生物学的修復マシン」と呼ぶ成分が含まれ、これが病気の原因に働きかけて体を修復するといいます。なんらかの器官がダメージを受けると、この小型「マシン」が器官を修復するのです。新しく再生させることも含めて。

この薬剤は一日二回、舌の上に垂らせば体内に吸収されます。科学者と話し合ううちに、もし本当に調子の悪い部分が修復されるのなら、この商品の利用者は死ぬことがないと私は思い至りました。彼も同意しました。「私も飲んでいますが、正直、若返っている気がします。ご覧なさい、白髪が黒髪に戻りはじめているでしょう」

この薬剤を飲めば三百歳まで生きられるということを否定する理由は何もない、と彼は主張しました。信じられない話でした。これが本当なら、この科学者は本当に「不老の泉」を見つけたことになります。

信頼が置けそうな人物でしたし、博士号もいくつか持っていました。正直な話、これまで会ったことがないほど頭の切れる人物だと私は思いました。彼は世界に三カ所の製造施設を構えていました。その評判はヨーロッパやアジアにまで鳴り響いていました。さらに彼いわく、アジアのある国で、特定の癌を患った人たちの治療に一役買ったとのこと。

生物学的修復マシンの発見は、暗号化された古代遺物に隠されていた処方を読み解いたものであり、また彼が「聖なる幾何学《きかがく》」と呼ぶプロセスの産物でもありました。彼はたしかに暗号を解読し、豊富な情報を引き出したのだと思われました。二時間もかけて次から次へと写真を見せ、その遺物から得た情報を実証してくれたのです。

私はさほど深刻ではない健康上の問題を抱えていましたが、なぜかしら医者にはその原因や治療法がわかりません。皮膚の下に小さな腫瘍がいくつかあるのです。癌ではありませんし、本人以外にはほとんどわかりません。健康面の脅威はこれといってないのですが、腫瘍が存在するのは事実ですし、それは尋常な現象とはいえません。

■決定的な誤り

医者にできる唯一の方法は、皮膚を切開して外科的に腫瘍を取り除くことでした。通院ベースでできる比較的簡単な処置です。

この科学者は私に言いました。例の薬剤を使えば問題はすっかり片づくはずだと。「数カ月で腫瘍はなくなりますよ」と彼は言いました。つまり腫瘍が消えてなくなる期限を明言したのです。その約束は期待される結果とか夢ではなく、可能性ですらありませんでした。腫瘍がなくなるという確かな保証だったのです。

いたく感銘を受けた私は、彼の言葉が信用できそうだったので、その商品を試すことにしました。七百五十ミリリットル瓶（ワインボトルと同じサイズ）が六百ドル（約六万六千円）。けっこうな値段ですが、一日数滴ですから長持ちしますし、手術に比べれば安上がりです。

数カ月後、腫瘍はなくなっていませんでした。私はもっと高濃度の生物学的修復マシンを買うようアドバイスを受けました。二千ドル（約二十二万円）でそれを買いましたが、さらに二カ月たっても改善は見られません。

今度は必ず効く二万ドル（約二百二十万円）のボトルがあると言われました（私はカモというわけでしょうか）。まさかとお思いでしょうが、私はその誘いに乗りそうになりました。結局は買いませんでしたが。

ちなみに、この科学者の名誉のために言えば、信用できる製薬会社が彼の薬剤を使ってネズミで臨床試験をしており、これは好結果を出しています。現在は人間で研究が続けられています。彼は本当に優れた医療コンセプトを新しく生み出したのかもしれません。

私がこの経験から学んだことは何か。彼は自分が開発した薬剤で若返ったと語るだけでよかったのです。私は彼を信用しました。だからこそ見知らぬ物質をあえて服用しました。三百歳まで生きたら？　本当に若返ったら？　自分の評価は正しいんだという希望を抱いて、私は喜んでこの薬剤を飲み、買いつづけていたはずなのです。

しかし、彼は決定的な誤りを犯しました。見込まれる具体的な成果を彼が公言していなければ、私は失望することもなく、いつか効き目が出て腫瘍がなくなるだろうと待ちこがれながら、薬剤を飲みつづけていたでしょう。希望を胸に、この商品を買いつづけていたでしょう。しかしいったん約束がなされ、その期限内に効き目がないと、私はすぐにそれ以上の投資を拒みました。優れた商品だったのかもしれませんが、科学者の信用にミソがついたのです。

希望という心理的トリガーを利用する場合は、測定または保証可能な具体的言明をしてしまわないことです。厳密な成果を約束せず、商品の利用目的をほのめかす程度がよいでしょう。

希望に基づいて繰り返し購入される商品はほかにもあります。たとえばビタミン剤がそうです。ビタミン剤を飲むと見違えるほど健康になるといえるでしょうか。人によるでしょう。何人もの人にインタビューすれば、ビタミン剤は効果てきめんだと断言する人がいるはずです。それをテレビで流せば好印象を与えます。効果のほどを見せられた見込み客はそのビタミン剤を買うようになり、結果が出るのを待ち望みながら定期的にこれを買いつづけます。

ここで重要なのは具体的な約束をするのではなく、人々の証言を通じて成果を暗示するということです。

宣伝文にこれをどう応用できるでしょうか。希望を動機づけに使って販売されている商品はいくつかあります。自分の商品の本質を見きわめ、具体的な保証をせずに暗示できる将来的な成果を探さなければなりません（とくに長くビジネスを続けようと思うなら）。

希望というものが持つ力にかなう商品分野はたくさんあります。ビタミン剤、サプリメント、はてはブレーンエンハンサー（脳の働きを高めるとされる食品）まで、健康食品産業全般はその好例です。ゴルフのスコア向上、新たな出会いの発見、肌の老化防止、デート相手へのアピールなど、どれも希望という心理的トリガーの働きを認識できる絶好の機会です。

■とにかく信頼性を重視する

希望を動機づけにして広告をつくる際に重視すべきは信頼性です。信頼できる会社の信頼できる人物だと思われれば、あなたの言葉は見込み客から信用されます。すると、あなたが商品を使って自分自身や既存顧客にこんな効果があったという話をしたときに、見込み客は自分たちにも可能性があると考え、希望の力に導かれて注文・再注文せずにはおれません。

たとえば、人間関係に関する本に書かれた情報が、あなた自身や既存読者の人生を大きく変えただとか、長生きのために飲んだ薬が素晴らしい効果をもたらしただとか……。売るものがなんであれ、しかるべき信頼があれば、希望の力はおのずと発揮されるでしょう。

人がなぜものを買うのかという潜在的理由を理解するうえで、本章はたいへん重要です。二十二の心理的トリガーのなかには、以前は意識されていなかったものがあるかもしれません。

しかしながら、ひとつひとつのポイントを知ることが、売れる文章を書くための、きわめて大きな後押しになるのです。

予防と解決の秘密

なぜ多くの商品が失敗するのか。その理由は人間の本質とでもいうべきものに由来しますが、まったくといってよいほど理解されていません。これを理解すれば、お客を増大させる宣伝の成功のカギを握れるだけでなく、一部の商品がなぜ売れないのか納得がいくでしょう。

ある商品のマーケティングを成功させるカギは、その商品の本質、その商品に対する市場の見方にあります。基本方針は明快です。すなわち、つねに解決策を売る、予防策を売らないということ。

ご説明しましょう。私が「魔法の錠剤」をあなたに売ろうとしているとします。ニンジンのエキスや葉菜のさまざまな風味を含んだ、癌の予防効果がある錠剤です。おそらく販売は困難でしょう。一方、あなたが突然癌であることがわかったとします。そこへ私が癌を治す魔法の錠剤を紹介したら、あなたはそれに飛びつくばかりか、惜しげもなくお金を出すでしょう。前者の場合は癌の予防に出せるお金は一瓶二千円かそこら。ところが後者では癌が治るなら十万円でも惜しくありません。

■予防策に解決策の魅力を持たせる

いまのは極端な例です。そうでない例でお話ししましょう。

あなたは訪問販売員。各地のホテルをよく利用します。そんなあなたに、ある人が水虫予防スプレーを売ろうとします。清掃が不十分な床を歩いて水虫になる可能性がある。でも寝る前にこのスプレーを足に吹きつけておけば安心というわけです。

あなたはこれを無視します。水虫になどめったにならないし、そのうえ使うのが面倒だから。ところが翌週、あなたは水虫になり、薬局で最も強力な治療薬を求めます。

これら二つの状況がそのまま二つの一般原則に相当します。その一……予防策を講じれば予防できるにもかかわらず、人は自分が病気になったり災難に遭ったりすることはないと考えるものである。したがって、その予防策を売るのは難しい。その二……病気になったり災難に遭ったりすると、人はその治療や回復に予防時とは比較にならないお金を出すものである。したがって販売はやりやすい。

医療や健康関連の事例をお話ししてきましたが、この理屈は他の商品やコンセプトにも当てはまります。それをお話しする前に、この解決／予防原則を打破するための第一歩は何かを検討し、予防策に解決策と同じ魅力を持たせることができるのかどうかを見ておきましょう。

結論からいえば、それは可能です。ただし、予防策が解決策となるような商品のポジショニングが必要です。例を挙げます。

マイデックスという防犯アラームは、七〇年代終わりにＪＳ＆Ａ社が販売しはじめたころは、間違いなく予防的な商品でした。しかし私は、自分自身やご近所が最近泥棒に入られたという人がいることも承知していました。彼らにとってはマイデックスは予防策というより解決策なのです。

つまり、最初は「うちの近辺は安全だから必要ない」と考えます。ところが、ご近所が泥棒に入られると解決策が必要になります。「マイデックスというのをひとつ買っておいたほうがよさそうだ。さもないと次はうちの番だ」もちろん、自分自身が泥棒に入られた見込み客もいます。「あの防犯アラームの広告、どこで見たっけ？」

また、犯罪統計を持ち出して脅すのではなく、マイデックスの品質や価値、その取り付けやすさなどをプロフェッショナルなやり方で広告すれば、別の顧客層にもアピールすると私は考えていました。危機感はないが心配はしている人――マイデックスがまだ予防策でも解決策でもない人です。つまり、自分もご近所も泥棒に入られたことはないが、そういう危険があることには気づいている人です。こうした人たちこそ私の宣伝の救い主になる。何カ月かたって必要になれば、必ず覚えていて注文の電話をくれる、と私は考えました。そして実際、そのとおりになったのです。

二十年前であれば、「クラブ」という自動車のハンドルロック装置は売るのが難しい商品だったでしょう。当時はいまほど自動車泥棒が社会問題になっていなかったからです。しかし、物騒な世の中となり、犯罪が増加し、一時間に何千台というクルマが盗まれる現在、自分のクルマも盗まれるのではないかという危機感を背景に、クラブはもはや解決策となりました。

■解決策を提供する数多くの商品

私が手がけたミラセルという皺とり剤も解決策でした。皺がある人は皺とりクリームや皺とり治療の有望な見込み客です。それは予防策ではなく解決策です。そのうえ、肌に潤いを与えるクリームや日焼け止めなどの予防的商品は治療（解決策）よりもかなり割安です。一方、有効な皺とり剤なら少量でも相当の値段になります。ミラセルは一カ月分が二十五ドル（約二千七百円）でした。

保険は予防策のひとつです。「あなたが亡くなったあとのご家族の安心を」と言われても、自分がいつか死ぬと考えるほど難しいことはありません。ところが、歳をとればとるほど考えるようになるのです。保険の販売員をしている友人、ハワードの話を覚えておいででしょうか。私に保険を売ろうとしつづけ、私の隣人が若くして急死したのをきっかけに、とうとう成約にこぎつけました。私は契約書にサインするのが待ちきれなかったものです。

商品を評価するときには、まず判断しなければなりません。これは予防的商品か、それとも解決策となる商品か。予防策ではなく解決策としてのポジショニングが可能か。商品に対する市場の見方は予防策から解決策へと変化しているか。それとも、市場の狭い予防的商品にとどまるのか。

市場規模の大きな解決策であれば、それは強力な商品です。予防策であれば、どうすれば解決策に転じることができるかを考えます。その方法をお教えしましょう。

■信じれば、手に入れたくなる

私が数年来販売している、その名も「ザ・ピル」という商品は、クルマの燃料調整剤。ガソリンタンクに入れるだけで、予防と解決、両方の役割を果たします。

まず予防機能としては、エンジンを洗浄し、燃料噴射装置にたまる不純物が引き起こす不具合を防ぎます。汚染削減につながり、全米で義務づけられている排ガス検査にも合格しやすくなります。また、修理工場へ行く必要もなくなります。繰り返しますが、これらは予防機能です。

しかし、QVCでザ・ピルを紹介するにあたっては、その予防的側面については多くを語らず、解決手段としての側面を強調します。いわく、エンジンのノッキングを解消、ガソリンを最高一〇％節減……。排ガス検査で失格したらザ・ピルをお使いください。次回は合格間違いありません。要は商品の治癒的側面を強調し、予防的な特徴は控えめに説明するのです。また、ザ・ピルは真に画期的な商品です（誓って申し上げますが、その効果は抜群です）。次なるポイントはここにあります。

ザ・ピルの効果のほどは折り紙つきと申し上げました。真に画期的な商品を販売するのは、マーケティングの世界でも至難の業です。なぜなら、それほどの効果があることをなかなか信じてもらえないからです。

そして、この信じるということが、人間の本質のなかで最も強力な動機づけ要因のひとつなのです。見込み客は何かを信じれば、それを手に入れるためにあらゆる努力を払います。しかし信じなければ、彼らを一センチたりとも動かすことはできないでしょう。

本章では、予防策ではなく解決策を売るということ、予防策を売るのは簡単ではないということ、そして商品によっては予防策から解決策に転じることができることを学びました。また、予防策よりも解決策のほうがお金をとれるということも学びました。最後に、予防策にも解決策にもなる商品の場合、予防的な側面は前面に出さず、治癒的な側面を強調することが成功の秘訣であるとお話ししました。では今後の参考となるように、これらを短くまとめてみましょう。

◆ルール10◆
予防策を売るよりも解決策を売るほうが断然簡単である。ただし、予防策が解決策と見なされる場合や、予防策の治癒的な側面が強調される場合はこの限りではない。

本章で学んだことは、今後の商品評価に大いに役立つでしょう。解決／予防原則が存在すると知るだけでも、次に販売する商品を選択し位置づけるうえでたいへん有用です。

さて、そうこうするうちに「ストーリー（物語）」の時間となりました。なんだか物語が聞きたくてたまらないとしたら、それはあなただけではありません。優れた物語、おもしろいストーリーはみんなを虜《とりこ》にします。

次章では宣伝文においてストーリーを効果的に語る方法を学びましょう。

ストーリーの秘密

人はストーリー（物語）が大好きです。オーディエンス（読者や視聴者）とつながりを持つには、ストーリーを語るのが得策です。百聞は一見にしかずというように、ストーリーは心情的な関係を築くかけがえのない存在であり、読者を釘づけにして読み進ませる力を持っています。ストーリーは人の関心を呼び起こします。子どものころに両親が聞かせてくれたお話は、私たちの空想を豊かにしてくれました。世の中の見方を左右することすらありました。つまり、私たちは幼いころからストーリーに囲まれてきたのです。

講演者がスピーチの冒頭にストーリーを語ったり、最初から最後までストーリーを散りばめたりしたらどうでしょう。講演がおもしろくなり、聴衆の関心が持続するに違いありません。実際、退屈なスピーチを聴いてうとうとしていても、これからストーリーが始まるとわかれば目が覚めるものです。

■できる人は、ストーリーをもっている

たいていのストーリーは伝えるべき教訓や共有すべき体験に満ち、あっと驚くエンディ

ングすらそなえています。宣伝文でも同じです。商品の販売や環境づくりのため、あるいは見込み客をコピーや滑り台効果に引き込むためのストーリーを宣伝文で語ることができれば、この素晴らしいツールを商品・サービスの販売に有効活用しているといえます。

さらに一部のストーリーは、見込み客と、より緊密なつながりを持つための人間的要素を付加してくれます。

ＱＶＣを代表するセールスパーソンのひとり、キャシー・レバインはその著書"It's Better to Laugh"のなかで書いています。「私は早い時期に、ものを売るとは人々の注意を引き、優れたストーリーでそれを持続させることだと気づきました」

私が知る優秀な販売員たちは語るべきストーリーを必ず持っていました。それは顧客とつながり、顧客を楽しませる手段です。とくにある男など、千ものジョークをレパートリーに持っています。そのひとつひとつが販売するための環境づくり、販売すべき商品・サービスに関係しています。彼がとても有能なのはご想像のとおりです。覚えておられるでしょうか、印刷媒体による販売行為は基本的には対面販売と同じです。もしストーリーを語るのが対面販売で有効なテクニックなら、これを応用して効果的なコピーを書くことができるはずです。

私が成功させた宣伝キャンペーンのほとんどはストーリーをベースとしていました。ブルブロッカー（サングラス）、ボーン・フォーン（ポータブルラジオ）、マジック・スタット（サーモスタット）……。いくつかの事例を取り上げて、このテクニックの使い方を詳しく見てみましょう。

以下はブルブロッカーの広告からの引用ですが、これを読めば、見込み客の関心を引いて全メッセージを読ませるうえでストーリーがいかに有効かを感じていただけるでしょう。

【キャッチコピー】**サングラス革命**

【リード】これをかけたとき、目に見えるものが私は信じられませんでした。あなたもきっと同じでしょう。

【署名】ジョセフ・シュガーマン

【コピー】これからお話しするのは本当のことです。信じがいのある話です。信じられないならば、考え直していただくだけの価値はあります。ご説明しましょう。

レンは優れた商品をいろいろ知っている友人です。ある日、彼が電話をしてきて、自分が手に入れたサングラスについて興奮気味に語りました。「すごいぞ、こいつは。

一度かけてみろ。信じられないから」
「何が見えるんだ？　信じられないって？」と私。
レンが答えます。「これをかけると、よく見えるようになるんだ。ものがくっきりシャープに見える。３Ｄ効果以上だ。それもぼくのイマジネーションじゃない。自分の目で確かめてみろよ」

このあと、私が直接サングラスを試し、レンから詳しい話を聞くというふうにストーリーは展開します。宣伝文は会話調を使い、サングラスの重要なポイント、日光の危険性、青色光の危険性についてふれてゆきます。ストーリーが効果的に使われているため、読者は興味をそそられてコピーを読み通し、ついには肝心な売り文句に行き当たります。

この広告は大成功を収め、ひとつ五十九・九五ドル（約六千六百円）のサングラスが十万個も売れ、総売上高は六百万ドル（約六億六千万円）にのぼりました。その後、私はこの商品をインフォマーシャルを通じて最初は三十九・九五ドル（約四千四百円）、その後四十九・九五ドル（約五千五百円）で販売し、一九八七年から一九九三年までの六年間に八百万個近い数を売ったのです。

次にご紹介するのは、六百万ドル（約六億六千万円）の家を売りに出した広告です。「ストーリーを語る」というコンセプトが宣伝文全体に貫かれています。

【キャッチコピー】**通販邸宅**

【リード】プール、テニスコート、素晴らしい眺望がついて、わずか六百万ドル。

【署名】ジョセフ・シュガーマン

【コピー】これはお買い得です。お買い求めにならないとしても、ストーリーはお気に召すでしょう。

すべての始まりはある招待からでした。私は全米でも指折りの不動産ディベロッパーから、カリフォルニア州マリブの自宅で催されるパーティーに招待されたのです。理由はわかりません。「とにかくお越しください」のひとことです。

シカゴのオヘア空港ではジェット機が私を待ち構え、ロサンゼルスでは運転手付きのリムジンに迎えられてマリブに向かいました。何から何までそんな具合です。

到着したときにはパーティーは始まっていました。ロールスロイスがずらっと並び、

家のなかからは音楽とざわめきが聞こえてきます。何か特別なことが起こっているのは間違いありません。

ほとんど宣伝文の最後までストーリーは続きます。目的は家を売るだけでなく、その家のビデオテープを注文してもらうこと。宣伝文内で、ずっと私はストーリーを語りつづけ、最後の最後にオファーをまとめます。ストーリーという魅力的なクルマに乗せられて、読者はこの広告をくまなくドライブするのです。

以上ご紹介した宣伝文はストーリーを語っています。いずれも思わず釣り込まれる話なので、結末はどうなるんだと思いながら、読者は読みつづけるわけです。

優れたストーリーは一人称で語られ、書き手から見込み客への個人的メッセージのように聞こえることがしばしばです。三人称で語られることもありますが、ストーリーであるがゆえに、やはりパーソナルな印象でとても魅力的です。

フランク・シュルツは、私の第一回セミナー修了後、見事なグレープフルーツの宣伝文を書き上げました。実際、彼の宣伝文はまるでおとぎ話のように始まります。この宣伝文は外観を変えながらも、フランクがセミナーに出席した一九七七年から十八年にわたって使用されました。時の試練に耐えたのです。こんな内容です。

【キャッチコピー】**自然のいたずら**

【リード】まったく新しいグレープフルーツの発見です。グレープフルーツというものに対する考え方が変わるかもしれません。

【コピー】私は農業を営んでいます。信じられないかもしれませんが、これからお話しすることはすべて真実です。

すべての始まりは、かかりつけの医師、ドクター・ウェブが所有する果樹園でした。そこでグレープフルーツを摘み取っていた男たちのひとりが、誰も見たことがない奇妙なグレープフルーツを六つ抱えて、ドクター・ウェブの家にやって来たのです。ふつうのグレープフルーツの木の、ある枝だけに、この六つの珍しいグレープフルーツがなっていたといいます。

この発見とそれが意味するところについて、五つのパラグラフにわたって話が続きます。

もちろんそれ以降でも、このグレープフルーツに関する詳しい説明がなされます。第五パラグラフを読み終わるころには、あなたはもう抜け出すことができません。ほとんど神秘的ともいえるこの商品に対する関心から、残るコピーを読みきるしかないのです。

繰り返します。商品をめぐるストーリーをうまく織りなせば、読者の関心を引くと同時に、滑り台効果や完全な購買環境を実現することができます。それは次の原則で言い表されるでしょう。

◆ルール11◆

ストーリーを語る。それで見込み客との心の絆を築き、商品を効果的に販売したり、そのための環境をつくったり、読者をコピーに引き込んだりすることができる。

第3部

ポイントを検証する――具体例に学ぶ

あなたはコピーライティングの原則やセオリーを学んでこられました。私の個人的な体験を通じてコピーライティングの実際を垣間見るチャンスもありました。ではいよいよ宣伝文の実例を示しながら、こうした原則がどのように生かされているのかをご覧に入れましょう。いわば新しく学んだスキルの仕上げに必要な最終調整です。

セミナーでは、私の説くセオリーの例証として、さまざまな宣伝文を見せました。最初のころは私自身の宣伝文や、私のやり方をマネする競合他社の宣伝文を使いました。しかし、セミナーが回を重ね、そこで学んだ知識を使って成功を収める受講者が相次いでくると、私はそうした受講者たちのつくった宣伝文を使いました。

それから、イラストを使って、通販広告や時にはそれ以外の宣伝文のよい例、悪い例を示しました。セミナーを修了するころには、受講者たちは私が示す宣伝文のどこが悪いのかを言えるだけでなく、みずから優れた広告コピーを書き、さらには他の受講者の広告にアドバイスさえできるようになっていました。

私は何百という宣伝文をスライドにして見せました。名作といわれるものはコピーをとって配りました。本書では例証としてふさわしい宣伝文のなかから、ほんの一部を選んでいます。いずれもここまでの学習内容を実証するとともに、さらなるノウハウやスキルを教えてくれるでしょう。

「でもちょっと待った」とあなたはおっしゃるかもしれません。「七〇～八〇年代の通販広告の花形だったＪＳ＆Ａの宣伝文はどうなんだ？　ＪＳ＆Ａの宣伝文は重要な原則を指摘していないのか？　コピーライティングのお手本ではないのか？」

そうおっしゃるなら仕方ありません。それも盛り込みましょう。

ＪＳ＆Ａ社の宣伝文は前に掲載しました。さまざまなポイントをよくご確認いただけるでしょう。それは成功したコピーの事例というだけでなく、読んでもおもしろい広告です。意気込みや語り口を通じて私が書いたということが伝わるかもしれませんが、どうぞご容赦ください。本当は私は控えめな男なのです。

これからテレビでの販売に携わるという方も、やはり以下の事例はマーケティングを理解するうえで参考になるでしょう。すでにご承知のように、私が説くコピーライティングやマーケティングの原則はいかなる形式の宣伝文にも当てはまるからです。

それでは時間となりました。第一部、第二部で学んだことを実際の宣伝文をもとに再確認していきましょう。

伝説の広告の秘密

ジョー・カルボの著書“The Lazy Man's Way to Riches”（怠け者がリッチになる方法）の宣伝文は通販広告の伝説的名作です。この名作によって三百万冊もの本を売りました。ジョー・カルボは数本の宣伝文しか書きませんでした。生涯に何百もの宣伝文を書く人もいれば、このジョー・カルボのような人もいます。ここに紹介する宣伝文は一気に書き上げたといいます。編集作業はほとんどなし。のちに私のセミナーで語ったところによると、「席についてものの数分で書き上げ、見直し、数カ所変更しました。それだけです」

ジョーの広告は長年のあいだ、何百という雑誌に掲載されました。後年、最新の通販手法に合わせて書き直されましたが、基本的には同じです。そしていまや名作となりました。

まずはジョーの略歴から。ジョー・カルボは一九四五年に復員し、二十歳のときに仕事を始めます。すでに妻と子がいたものの、お金はありません。学歴は高卒です。カルボはメモ用紙関連のビジネスで多少成功を収め、次に芝居の世界へ進みます。その後、広告、ラジオを経てテレビ業界へ。

カルボはハリウッドで自身の番組を持っていました。妻のベティとともに午前零時から

午前八時まで出演していたのです。なかなかスポンサーを獲得できないため、彼はダイレクトメール事業を始め、番組でさまざまな商品を販売しました。やがてダイレクトレスポンス広告のノウハウをマスターして繁盛します。

一九七三年に彼は"The Lazy Man's Way to Riches"（怠け者がリッチになる方法）という本に自分なりの哲学をまとめます。そのなかで、成功するための信念や原則、ダイレクトレスポンス広告に関する信念や原則を明らかにしました。さきほど述べたのは、彼がその本を売るために書いた宣伝文です。

では宣伝文を検討しましょう。すでに学んだ多くのポイントが確認できるはずです。キャッチコピーから順に最後まで見ていきます。

【キャッチコピー】**怠け者がリッチになる方法**

【リード】ほとんどの人は日々の暮らしに精一杯で、お金儲けの余裕などありません。

挑発的なキャッチコピーです。当時、こうしたアプローチ、こうしたキャッチコピーはまれでした。それまで、このような宣伝文が見られるのは「一攫千金」をねらう読者層向けの雑誌でした。『インカムオポチュニティー』『サクセス』『アントレプレナー』といった雑誌にはカルボと同様のオファーがたくさん掲載されていましたが、そうした分野の広告はまだ主流ではありませんでした。カルボの宣伝文が初めて大成功したといえるでしょう。キャッチコピーが読者の心をとらえ、リードを読ませます。さらにリードがコピーを読ませます。

コピー本文はどうか。滑り台効果が働いているでしょうか。まず、短いセンテンスで読者をコピーに引き込んでいます。第一センテンスはもちろん、すべてのセンテンスがいかに短いかおわかりでしょう。また、彼は見込み客の身になりきっています。成功してよい暮らしがしたいと真剣に考えているが、仕事に追われてどうにもならないという男女の身に――。コピーは以下のように始まります。

私はよく働いたものです。一日十八時間。休日はなし。
でも大儲けするようになったのは、働く時間を減らしてからです。それも大幅に。

広告は続きます。読者は読まずにおれません。

たとえば、この宣伝文を書くのに約二時間かかりました。運がよければ私は、それで五万ドル（約五百五十万円）、いや十万ドル（約千百万円）稼げるはずです。

この宣伝文が書かれたのは一九七三年。当時の十万ドルといえば、現在のほぼ五十万ドル（約五千五百万円）に相当します。またしてもカルボは好奇心をあおります。何を売ろうというんだ？　この広告でなぜそれほど儲かるんだ？　読者はさらに読み進まなければなりません。また、難解な言葉もなければ、複雑で長いセンテンスもありません。彼は少しずつ、やすやすと、読者をコピーの続きへと導いていきます。つねに好奇心をあおりながら。そうするうちにストーリーが語られます。

さらにいえば、私は元手がたった五十セント（約五十五円）のものを十ドル（約千百円）で買ってくださいとお願いするつもりです。しかも、なかなか抵抗できない方法で。あなたは愚かにも抵抗できずに終わるでしょう。

ここでカルボは読者からの信頼を築いています。無邪気なくらいの正直さです。彼は前もって、原価がわずか五十セントのものを十ドルで売りたいと語ります。好奇心も刺激しています。基本的でシンプルな物言いであり、読者は少しずつ滑り台を滑り落ち、次のパラグラフへと導かれます。そこで彼は購入の正当性を訴えます。

どのみち、私が九・五ドル（約千四十五円）の利益を得たところで、もっと稼げる情報を知ることができれば、あなたは気にもされないでしょう。

私がお教えする「怠け者のやり方」が儲かることは請け合いなので、世界に例を見ない保証をご提供したいと思いますが、いかがでしょう？

つまりこういうことです。私は教材をお送りしてから三十一日間、いただいた小切手や為替を現金に換えません。

その間にたっぷりと吟味し、試していただけるというわけです。


流れるようなコピーですね。またしても彼は読者の好奇心をくすぐり、十ドルの買い物を納得させてゆきます。まだ具体的なオファーについては述べていないのに。読者は知りたくてしようがありません。彼は三十一日間、小切手を現金に換えないといいます。当時としては斬新な手法です。これこそ私のいう「満足の確信」です。読者はこんなふうに思うでしょう。「おいおい、あんたをだまそうとする人間がたくさん出てくるぞ。本を手に入れて、ちゃっかり読んでから返品し、未換金の小切手を取り返すという寸法だ」。すでに満足の確信がいかに重要かは学びましたが、カルボはコピーの序盤でこれを利用しているのです。彼はまた、自身のコンセプトに対する意気込みと自信を示して、さらに読者の好奇心をあおります。コピーは続きます。

あなたの投資額の最低でも百倍の価値があると思えないときは、ご返品ください。現金化していない小切手または為替をご返却いたします。

教材お届け後のご請求、代金引き換えという方法をとらないのは、どちらも時間とお金がもっとかかるから。ただそれだけの理由です。

私はすでに、あなたの人生で最大のお買い得品をご用意しようとしています。

十一年かけて身につけたノウハウをご伝授しようというのです。つまり「怠け者のやり方」でいかに儲けるかというノウハウを。

カルボはここでも、その中身さえ言わずに購入を納得させています。さらに、なぜ小切手で注文を受けるのかを、その経済的根拠を示して説明します。好奇心は高まります。しかし次に、彼はオファーについて語る代わりに、オファーへの信用を築くという方向に転じます。このプログラムがいかに効果的かを、みずからの体験で実証しようとするのです。

ここで少し自慢話をしなければなりません。いや、そうさせてください。ご満足いただくまで私が「お預かりする」十ドル。その十ドルをご送付いただくことがどれだけ賢い選択であるかを証明するには、多少の自慢話が必要なのです。

私は十万ドル（約千百万円）相当の家に住んでいます。それが可能なのは、十万ドルも払えないと私がオファーを蹴ったからです。ローンの額はその半分もありません。完済していないのは、税理士が全部払うなんてばかばかしいと言うからにすぎません。

自宅から二・五キロほど離れた私の「オフィス」はビーチに面しています。息をのむほど素晴らしい眺めなので、仕事に手がつかないんじゃないかと人々は言います。でも、仕事は十分にしています。一日約六時間、年に八～九カ月。

それ以外の時間は「山小屋」で過ごします。三万ドル（約三百三十万円）しました。支払いはキャッシュです。

ボートが二隻にキャデラックが一台あります。いずれも支払いは済んでいます。

株や債券に投資し、銀行には現金があります。しかし、何よりも大切なものはお金で買えません。それは家族と過ごす時間です。

では、どうやって私がそれを実現したのか、つまり「怠け者のやり方」をこれからお教えしましょう。まだ数名の友人にしか話していない秘密を。


彼は明らかに読者の興味をそそり､彼のやり方がどんな成果をもたらしたかを語ります。しかしもうひとつ、彼がそれとなくやったことがあります。読者の身になって考えようとするのです。ロールスロイスを乗り回すのではなく、愛車はキャデラック。家を持っている読者なら、たいていは抱えていそうなローンの額。金持ちとはいえ、そのレベルは控えめです。読者の手がまったく届かないレベルになると共感してもらえないからです。

カルボはまた、ステーキではなくジュージューというシズルを売っています。彼のやり方の成果である魅力的なもの――ほとんどの読者がほしいと夢見るものがいくつも語られます。彼は見込み客の身になりきっています。そして、それらの最後に、お金ではけっして買えないものが手に入ると彼は言います。「家族と過ごす時間」です。すっかり共感した読者は、さらに読まないではおれません。こうも言うでしょう。「こんな暮らしを可能にするとは、どんなオファーなんだ?」そこで続きを読むことになります。彼が数名の友人にしか話していない秘密を知るために。

次のパラグラフは圧巻です。彼はきわめて上手に、オファーの魅力をできるだけ幅広い層にまで拡大しようとします。

考えてみてください。ある人が億万長者になったといわれても、大して思い入れはできないでしょう。正直いって自分には無理だと考えるからです。でも、どこへでも望むところに旅行できる老婦人だとか、年に二万五千ドル(約二百七十万円)の臨時収入がある寡婦だとかには共感できるのではないでしょうか。あるいは、あまり学のない男だとか――。

以下のコピーを読めば、彼が幅広い市場ターゲットにアピールするのがおわかりでしょう。この広告が万人受けし、一部の一攫千金ねらいの人に限定されなかった理由は、まさにそこにあります。

また、破産寸前にまでなったと語る彼は、ここでも正直さを武器にしています。同じく経済的に苦しんでいる読者の多くが共感するでしょう。

それは「教育」を必要としません。私は高卒です。

それは「資本」を必要としません。最初のころ、私は借金で首が回らず、友人の弁護士など破産宣告するしかないとアドバイスしてくれたほどです。

彼は間違っていました。私は借金を返済し、住宅ローン以外は一銭の債務も負っていません。

それは「運」を必要としません。私はふつう以上の儲けを得ましたが、あなたが私と同じだけ儲けると保証するものではありません。むしろ、あなたはもっと稼がれるかもしれません。私が知るある人は、このやり方で一生懸命努力し、八年で千百万ドル（約十二億円）を稼ぎ出しました。でも、お金がすべてではありません。

それは「才能」を必要としません。何を探すべきかを知る力さえあれば十分です。それをお教えしようというのです。

それは「若さ」を必要としません。私がごいっしょしたある女性は七十歳を超えています。彼女はただ私の教えに従い、必要なお金をすべて捻出しながら、世界中を旅行されています。

それは「経験」を必要としません。シカゴのある寡婦の方はこの五年間、私のやり方に倣って、年平均二万五千ドル（約二百七十万円）を稼いでいます。

これらは非常に重要な文章です。つまり、彼はきわめて幅広いターゲット層にアピールしたのです。一攫千金をねらう人たちに加えて、そこまでは行かないがこのメッセージに魅力を感じるという人たちにも――。そしてカルボは驚くほど正直だという印象を与えます。

さきに、提供しようとするもののコストを彼が明らかにしたのを覚えておられるでしょう。彼は宣伝文全体を通じて、無邪気といってもよいほど正直に見えます。そう、正直さは心理的に優れた販売ツールなのです。

いよいよ締めの文句です。自身のコンセプト、自身の本に対する熱意のほどが伝わります。カルボはやはり気づいています。読者の多くが仕事を持っており、彼のオファーを身につけるために仕事を投げ出す必要があるのだろうかと考えはじめていることを。彼はある人の卓見《たっけん》を引用します。そして、最後の好奇心をかきたてる質問で宣伝文を締めくくります。読者はこの男のオファーを見きわめるために注文せざるをえないのです。

それが必要とするのは何か？　信じることです。チャンスをものにするだけの信頼。私がお教えする内容を吸収するだけの信頼。その原理原則を行動に移すだけの信頼。

ただそれだけで――それ以上でもそれ以下でもありません――信じられない結果が得られます。保証いたします。

仕事をやめる必要はありません。ただ、すぐに大儲けできるので、やめてもよくなるでしょう。繰り返しますが、保証いたします。

ある人が語った卓見を私は忘れもしません。

「ほとんどの人は日々の暮らしに精一杯で、お金儲けの余裕などない」

彼が正しいとわかるまでに、どうか私ほどの時間をかけないでください。

いますぐクーポンをお送りくだされば、ここに述べたことを証明いたします。この私を信じろとは申しません。とにかくお試しください。私が間違っていたら、あなたが失うのは数分の時間と八セント（約九円）の切手代。しかし、私がもし正しければ？

一九七三年当時の普通郵便の切手代がわかっておもしろいですね。私が本書を書いている現在は三十二セント（約三十六円）ですから、郵便料金との比較でいえば、彼の本の値段は現在の価格にして四十ドル（約四千四百円）だったことになります。

次にクーポンを見てみましょう。まず目につくのは、クーポンのすぐ上に記された会計士の宣誓供述です。

「私は本広告を点検しました。ジョー・カルボ氏と十八年にわたる交友があり、かつ同氏の会計士を務める立場から、私はすべての記述が真実であることを証します」（ご要望があれば会計士の名前も明らかにします）

彼は信用照会先の銀行も記載しています。これも説得力ある手法です。それまでこのような情報を広告に載せた者はいませんでした。自分の誠実さを間接的に証明する手段として銀行名を出し、信用を築いているのです。読者が小切手帳に手を伸ばし、苦労して稼いだお金を送るためには、そうした信用が必要なのです。

クーポンはオファー内容のまとめになっています。

ジョー、あなたが言っているのはでたらめかもしれないけれど、私が失うものなど、たかが知れたもの。『怠け者がリッチになる方法』を申し込みます。ただし、送付後三十一日間は小切手や為替を換金しないでください。
理由はどうあれ、その期間内にあなたの教材を返品した場合は、現金化されていない小切手や為替をご返却ください。以上を条件に十ドルを送ります。

一ドル（約百十円）追加すれば航空便で「教材」を届けてもらうこともでき、そのためのチェック欄も設けられています。

彼が送ってくるのはたんなる本ではなく「教材」とあります。本一冊というよりも講座をとるという印象で、価値がアップします。ただ「本」と書くよりも「ジュージューというシズル」がよけい聞こえてくるわけです。

送金すると素晴らしい本が届きます。たしかに印刷代が五十セント程度だろうというものですが、そこには啓発的なメッセージと、「怠け者のやり方」でお金を儲けるためのダイレクトマーケティングのテクニックが満載されています。

カルボはこうした宣伝文を数年間掲載しました。私はそのころ、みずからの全国広告で、語数（字数）の「多すぎ」などというものはないという事実を証明していました。一九七三年には私たちは広告をそれこそ量産していましたが、そのほとんどは『ウォールストリート・ジャーナル』でした。

一年後にさまざまな全国誌でも広告を掲載するようになったころ、カルボのコピーは広範な市場をカバーするためにユーザーの体験談を盛り込み、事例の数も増やしていました。年々語数が増えていたのです。

しかし、私がセミナーで教えたノウハウの正真正銘のお手本は、ジョーのこの最初の宣伝文――お金儲けの分野で初めてマスマーケットにアピールした宣伝文なのです。

ジョー・カルボは一九七八年に私のセミナーに参加しました。セミナーでは自分の経歴を語り、どのようにしてこの宣伝文を書いたかを語ってくれました。

彼は一九八〇年に重度の心臓発作で亡くなります。カリフォルニアの自宅近くの地元テレビ局でインタビューを受けていたときのことです。インタビュアーは不当にもジョーを非難しようと考え、インタビューの前提が様変わりしてしまったのです。これに対するジョーの最初の反応が心臓発作というかたちになって表れてしまいました。彼は妻のベティと八人の子どもたちを残し、それっきり帰らぬ人となりました。

彼の業績や努力は最近改訂された著書によって引き継がれています。ワークブックも付いた優れた改訂版です。通販について勉強中で、刺激になる材料がほしい人は、ぜひご購入ください。

カルボの宣伝文は古典的名作です。通販業界の大ヒットであり、彼の本を買って実際に潤った何百万という人たちがその偉大さを実感しました。これが一生に一度の再現不可能な偶然だと思ってはいけません。あなたがこれを読まれているあいだにも、ダイレクトマーケティングを活用した企業家が続々と成功を収めているのです。

チャンスを逃さない秘密

ヴィクトリアズ・シークレット社といえば、いまや店舗数八百、売上高五億六千九百万ドル（約六百二十五億円）を誇り、大規模なカタログ部門も抱える大手チェーン。しかし一九七九年当時は、三つの店舗と、レイモンドという名の紳士が案内役のカタログがあるだけでした。バーバラ・ダンラップが私のセミナーに参加したのはそんなころです。

彼女が書いた宣伝文は本書で学んだ数多くのポイントを体現すると同時に、見落とされているポイントもいくつか指摘してくれます。まずキャッチコピーとリードを見てみましょう。男女を問わず、新聞を読んでいて以下のようなキャッチコピーとリードに出合ったら、そこで視線がぴたりと止まるのではないでしょうか。

【キャッチコピー】**男性用ランジェリー**

【リード】特別な男性陣がそれを可能にしたわけは？

Lingerie for Men

How a Group of Very Special Men Made It All Possible

WE WERE ASTOUNDED! When we opened the doors of our new business, we thought most of our customers would be women. After all, beautiful designer lingerie is the kind of luxury a lady can't resist.

How wrong we were.

That first Valentine's Day, the men came in droves! Hundreds of men, who had secretly been dying to visit our boutique. At last, they had the perfect excuse—Valentine's Day gifts for their favorite ladies.

They loved the merchandise.

Can you imagine how shocked we were? All those men—milling about our Victorian boutique. Admiring the silk stockings and lacy garter belts from France. Totally smitten by the luxurious silk and satin kimonos from London. Crowding around the bra and bikini sets from Italy. They couldn't wait to surprise their wives or girlfriends with something truly special.

Weren't they embarrassed?

The truth is, they were. But not enough to keep them away! They had seen our exciting, full-color catalogue. A breathtaking picture book of beautiful women, wearing enticing creations. Besides, a few men became our first satisfied customers. And in a short time, they had managed to spread the good word. Victoria's Secret wasn't like shopping for lingerie in a department store. No matronly saleslady to make a man feel uneasy. No raised eyebrows or pursed lips asking about sizes. No racks of flannel and terrycloth to wade through. And no clunky, plastic boxes overflowing with boring white foundation garments.

The men in our life.

Since that first Valentine's Day, we've learned a lot about our male customers. Mainly, they can't be stereotyped. Some are conservative, some far from it. Some are rather old, while others are much younger. Whether doctors, accountants, salesmen or bankers … they all have one thing in common. They are true connoisseurs of beauty. They know how sensuous and lovely a lacy camisole or elegant gown looks on a woman. And what's more, they know how wonderful a woman feels to receive something beautiful and intimate from a special man. And it takes a *very* special man to shop from Victoria's Secret.

Our luxurious photo album …

If you're like our male patrons—sensuous and fashion-conscious in your own right—you've been dying to find a place like Victoria's Secret. However, if you live outside of Northern California, you won't find it. But for $2.00 you can have the next best thing. Our luscious, four-color catalogue of alluring designer lingerie.

What if you don't like our style?

We guarantee you'll be the first man who didn't. But … if after you receive our catalogue, you find our fashions too sensuous or too luxurious for the lady in your life, you haven't lost a thing. Our lush, full-color catalogue is an elegant collector's item—a conversation piece your friends will adore! (Already, our customers are requesting previous editions of the Victoria's Secret catalogue.)

To receive your own personal copy, send $2.00 to Victoria's Secret, dept. W500, P.O. Box 31442, San Francisco, CA 94131. We'll send you our *colorful* catalogue of fashion romance via first class mail.

キャッチコピーはわずか九文字。簡潔・簡明にしてリードを読ませるには十分です。次にリードでは広告の前提が明らかにされていません。読者はまだなんのことだかわからないのです。実際、何人かの男性が集まって、婦人用下着を装着できるようにしたとも聞こえます。とにかくわからないので読み進めます。

第一パラグラフは活字が大きく、読者はコピーに引き込まれていきます。最初の数パラグラフは物語のような感じがすることにもご注意ください。

驚きました！　新しい店舗のドアを開けると、お客様の大半は女性だと思っていたのです。なにしろ美しいデザイナーランジェリーといえば、ご婦人方垂涎の的ですから。

私どもの間違い

初のバレンタインデー当日、店には男性のお客様が大勢来られました！　当店をひそかに訪問されたがっていた何百という男性が――。しかし、皆様にはれっきとした理由がありました。愛する女性へのバレンタインデー・ギフトだったのです。

商品への肩入れ

私どもはどれだけ衝撃を受けたことでしょう。たくさんの男性が店内を闊歩されているのです。フランス製のシルクのストッキングやレースのガーターベルトに感心されながら。ロンドン製のシルクとサテンの豪華なガウンに見とれながら。あるいはイタリア製のブラジャーとショーツに群がるように――。奥様や恋人を驚かせたくて待ちきれないのです。

ストーリーが語られ、そこに展開されるシーンが思い浮かぶようです。さまざまな商品もストーリーにうまく組み込まれています。するとここで、読者にはある疑問が持ち上がるかもしれません。コピーでもすかさずその疑問が提示されます。

男性陣に気後れはない?

正直なところ、ありました。でも、来店したいという気持ちを抑えきることはできなかったのです！　すでに皆様、私たちのフルカラーの刺激的なカタログをご覧になっていました。魅惑的な作品を身にまとった美しい女性たちが登場する、息をのむような写真集です。しかも、何人かの男性は私どもにとって初の「満足顧客」となってくださったのです。

やがてそうしたお客様がよい噂を広めてくださいました。ヴィクトリアズ・シークレットはデパートでランジェリーを買い求めるのとは違うと——。男性に居心地の悪さを感じさせるような落ち着き払った女店員はいません。眉毛を上げ、口をすぼめてサイズを聞く人がいません。フランネルやテリークロスの棚をかいくぐって進むこともありません。白の退屈なファンデーションガーメントであふれた安っぽいプラスチックボックスもありません。

優れた点がいろいろあります。まず、ダンラップは男性客に気後れがあったと認め、正直な印象を与えています。つまり、小見出し（「男性陣に気後れはない？」）で異論を差しはさみ、それに正直に答えます。

しかしそのあと彼女は、男性客がフルカラーのカタログ（ダンラップいわく「息をのむような写真集」）に刺激を受けたという事実を持ち出します。カタログが男性客を来店させる動機になったということを、きわめて巧みにアピールするのです。

店に行こうと決めてから持ち上がる疑問は、店そのものの環境と、店の人的要素すなわち店員に関するものです。男性客が気まずくなるような雰囲気かどうか。この同じパラグラフで（本当はパラグラフを変えたほうがよかったのですが）、彼女はそうした問いかけを発し、デパートに見られるような気まずさはないと指摘することでこれに答えます。つまり、ここは男性をまったく気後れさせない店だというのです。

ここまで、ダンラップはまず読者の注意を引き、それからランジェリー専門店で妻や恋人へのプレゼントを買おうとする男性が持ち出しそうな疑問や異論に対応しています。次のパラグラフでは、ひと握りの男性からすべての男性へとマーケットを拡大します。ジョー・カルボが暮らしの向上を願うすべての人々に広告ターゲットを拡大したのと同様です。ダンラップは次のように言います。

世の男性に共通するもの

この初のバレンタインデー以来、私どもは男性のお客様について多くを学びました。何よりも、皆様をひとくくりにすることはできません。保守的な方もいらっしゃれば、正反対の方もいらっしゃいます。年配の方もいらっしゃれば、ずっと若い方もいらっしゃいます。医師、会計士、販売員、銀行員など職業もさまざまですが、男性のお客様には共通点がひとつあります。その審美眼です。

女性がレースのキャミソールやエレガントなガウンを身にまとうといかに美しく魅惑的かを心得ておられます。そのうえ、女性が特別な男性から素敵で親密なプレゼントを受け取るとどんなにうれしいかを心得ておられます。しかもヴィクトリアズ・シークレットでご購入になるのは、非常に特別な男性だけなのです。

ダンラップは幅広い男性を挙げるだけでなく、そのセンスや女性に対する理解ある態度を賛美します。

次のパラグラフでは、ついに肝心のセールストークが語られます。当時、ヴィクトリアズ・シークレットの店舗は北カリフォルニアにしかなかったため、全国掲載されたこの広告の本来の目的は、カリフォルニア以外の四十九州からカタログの顧客を集めることでした。そこで「私たちの豪華な写真集……」という小見出しに続いて、売り込みがなされます。広告の環境づくりに資する華やかで魅惑的な表現にご留意ください。

こうした皆様のように、生まれながらに審美眼に優れ、ファッションに敏感でいらっしゃるあなたは、ヴィクトリアズ・シークレットのような場所を探しておられたに違いありません。ただ、北カリフォルニア以外にお住まいの場合は店舗がございません。しかし、二ドル（約二百二十円）で「次善の策」をご提供することができます。素敵なデザイナーランジェリーをご紹介したフルカラーの豪華カタログです。私どものスタイルがお気に召さなかったら？

お気に召さないということはまずありません。しかし、仮に私どものファッションが奥様や恋人には優美すぎる、豪華すぎるとお考えになったとしても、あなたは何ひとつ失ってはおられません。私どもの魅惑あふれるフルカラーカタログは、コレクター垂涎の洗練された逸品と申せます。ご友人のあいだで評判の品となることでしょ

う！（すでにお客様からは過去のカタログの引き合いを頂戴しております）
ご自身のカタログを手に入れるには、ヴィクトリアズ・シークレット（住所入る）宛てに二ドルをご送付ください。ファッションロマンスに満ちたカラフルなカタログを普通郵便にてお送りいたします。

この宣伝文には大きな問題がひとつあります。しかも残念なことに、宣伝文で最も重要な最後の箇所にそれは見られます。

見込み客はこう問いかけるかもしれません。「カタログや商品に満足できなかったらどうなる？」

返品条件については何も示されていないのです。また、カタログの購入に支払う二ドルを最初の注文用に使わせてあげれば、もっと強いヒキとなっていたでしょう。いや、十ドル（約千百円）でもかまわないのです。

私が理解するところ、カタログを請求させる最初の広告はある程度成功し、それに従って売り上げも確保されました。ここには二つのステップがあります。市場で顧客になりそうな人に当たりをつけること、そしてカタログを通じて彼らを実際の顧客にすることです。

印刷広告の利用法としては非常に優れており、多くの原理原則のお手本にもなっています。

とくに注目すべき原理原則は、異論（疑問）を持ち出す絶妙のタイミングとその解決法、ストーリーを語り完璧な販売環境をつくる美しい言葉づかいです。本当のオファーはカタログですが、そこで語られるストーリーは男性たちにカタログを入手し、そこから注文することを許可するかのようです。店に足を運ぶよりも気恥ずかしさがうんと少なくて済む方法を――。

「男性用ランジェリー」は短く興味深いうえに、流れのよい広告です。最終部分はもっと説得力や効力を発揮できたとはいえ、読者は最後まで滑り台効果のようにコピーに引き込まれてゆきます。ちなみに、私なら署名広告にして個人的なメッセージ色を強めたと思います。

一九七九年当時のヴィクトリアズ・シークレットのカタログは、現在よりずっと魅惑的でした。実際の話、男性に大人気だったのです。

ザ・リミテッド社に売却される前のことですが、ヴィクトリアズ・シークレットの広告担当者二名が私のセミナーに参加しました。彼女たちはコピーライティングのスキルを活用してカラフルなカタログをつくり上げました。セミナーへの出席は自分たちのキャリアにとってターニングポイントとなり、ヴィクトリアズ・シークレットの初期の成功にも大きな意味を持っていたと二人は語っています。

この事例から学ぶべき教訓は、優れた宣伝文といえども最後のところでせっかくのチャンスを逃しかねないということ。宣伝文の最後というのは購入決定がなされるべき場所です。どんな宣伝文にとってもきわめて重要なポイントなのです。

大どんでん返しの秘密

ＪＳ＆Ａ社が手がけた「マジック・スタット」というサーモスタットの広告は基本的にストーリーを語っていますが、そこにはちょっとした仕掛けがあります。最初は商品を毛嫌いする私たちですが、やがて話が進むと大どんでん返し、世界一の商品だと太鼓判を押すのです。そこにたどり着くまでのプロセスは興味深いものがあります。

まず私は、サーモスタット購入の一番の難点は取り付けだと考えました。それは消費者がそうそう折り合ってくれる問題ではありません。ワイヤーをあれこれいじるのは危険ですし、人に頼めばお金が相当かかります。したがって、このストーリーで私たちが最終的に気に入ることになる長所のひとつは取り付けやすさでした。つまり、消費者は面倒な取り付けを望まないと認識したうえで、最初にこの点にふれたのです。

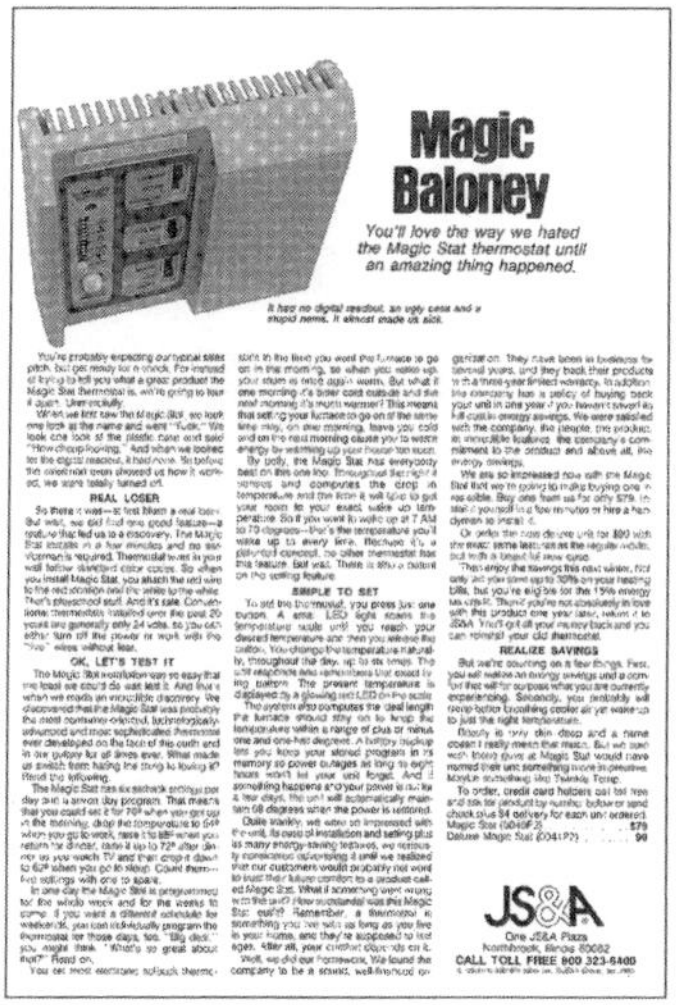

コピーそのものは、ケースのデザインから外観、はては名前に至るまで、さまざまな点にケチをつけます。消費者もこの商品を見たら同じようなことを言うだろうと思ったのです。そしてコピーが進むにつれて、私たちはこれらをひとつひとつ解決していきました。そしてコピーのかなりの部分を割いて、やや軽妙な筆致で商品の特徴を説明していきます。そして最後近くになって、この商品のメーカーを持ち上げ、信用を高めるとともに消費者を安心させます。私たちの競争相手は結果的にはハネウェル社でした。名にし負う大手です。

マジック・スタットの印刷広告は一九八三年を皮切りにほぼ三年続き、この商品を優良ブランドへと押し上げました。メーカーは最終的にハネウェル社に売却されたのです。

以下が宣伝文の全文です。

【キャッチコピー】**マジック・ナンセンス**

【リード】**私たちが「マジック・スタット」と呼ばれるサーモスタットを評価しなかった理由にご賛同いただけるはずです。驚くべきことが起こるまでは——。**

【写真キャプション】デジタル式の計器表示もなければ、不恰好なケースに、ばかばかしい名前。ほとんど嫌気がさしました。

【コピー】よくあるセールストークを予想されているなら、お門違いです。これから私たちはマジック・スタットがいかに優れたサーモスタットであるかを説明するのではなく、これを完膚《かんぷ》なきまでにこき下ろそうというのですから。

初めてマジック・スタットに出合ったとき、その名前をひと目見て「がっくり」。プラスチックケースを見て「なんて安っぽい」。そして、デジタル表示を探しても見当たらず……。販売員が使用方法を説明する前から、私たちはうんざりしていました。

まさに「敗者」

そう、ひと目見ただけでまさに「敗者」です。だが待ってください、ひとつ利点がありました。それがある発見をさせてくれたのです。マジック・スタットは数分で取り付けることができ、業者に頼む必要がありません。壁のサーモスタットワイヤーは標準色に従っています。ですからマジック・スタットを取り付けるときは、赤いワイヤーを赤い部分につなぎ、白いワイヤーを白い部分につなぎます。子どもでもできますね。それに安全です。この二十年間に設置されたサーモスタットは通常わずか二十四ボルトですから、電源を切ってから作業してもかまいませんし、電流が流れているワイヤーをそのまま扱っても心配はありません。

実際に使ってみる

マジック・スタットは取り付けが非常に簡単なので、実際に使ってみるのもすぐでした。そして、そこで私たちは信じられない発見をするのです。マジック・スタットはおそらくこの地球、いや宇宙の歴史上、最も消費者の立場に立ち、技術的に優れ、性能の高いサーモスタットではないかと――。私たちはなぜ「毛嫌い」から「賞賛」へと態度を一変させたのか？　それは以下のとおりです。

マジック・スタットは一日に六つのセットバック（温度変更）、一週間のプログラムを設定することができます。たとえば、朝目覚めたときは摂氏二一度、仕事に出かけるときは一二度に下げ、帰宅時には二〇度、夕食が終わってテレビを見るときは二一度、寝るときは一七度というふうにセットできるわけです。数えてください。設定は五つですね。もうひとつ余裕があります。

一日分をセットするだけで一週間、そしてその後の何週間ものプログラムができるのです。週末の設定を変えたければ個別にプログラムできます。「それはいい。もっと聞きたい」と思われるのではないでしょうか。続きをどうぞ。

ほとんどのサーモスタットは朝、ファーネスを作動させたい時間に設定します。ですから、目が覚めたときには部屋が再度暖まっています。でも、ある朝はやけに寒く、翌朝はずっと暖かいとしたらどうでしょう？　つまり同じ時間にファーネスが作動するように設定すると、ある朝は目覚めたときにまだ寒く、翌朝は早く暖まりすぎてエネルギーのムダになるのです。

この点でもマジック・スタットは優れものです。夜通し温度の降下を感知し、部屋を起床時の温度にするのに必要な時間を計算します。したがって、午前七時に二一度の部屋で目覚めたければ、いつでもその温度で目覚めることができます。特許取得機能ですから、他のサーモスタットにはありません。でも待ってください。設定上の特許がまだあります。

設定しやすさ

設定はボタンをひとつ押すだけです。ご希望の温度になるまで小さなＬＥＤライトが温度スケールを読み取りますので、そこでボタンを放します。もちろん一日六回まで温度変更ができます。サーモスタットはこのパターンをそっくり記憶します。スケール上の赤いＬＥＤが現在の温度を表示します。

温度をプラスマイナス〇・八度の範囲に保つためにファーネスが作動していなければならない時間をシステムが計算します。保存したプログラムをバッテリーバックアップにより記憶するので、八時間までの停電ならデータが失われません。万が一何日間か停電した場合は、復旧時に自動的に二〇度を維持します。

正直にいうと、私たちはこのサーモスタット、その取り付けや設定の容易さ、さらには省エネ効果に感心し、これを広告することを真剣に検討したのですが、お客様の側にマジック・スタットという商品に将来満足できるという信頼がないのではないか、と気づいたのです。調子が悪くなったら？　このサーモスタットはどれほどのものなのか？　というわけです。そう、サーモスタットは家にいるかぎり顔を合わせる存在ですし、何年も持たなくてはなりません。お客様の満足はそこにかかっています。

さて、下準備は整いました。信頼という点でいえば、メーカーは財務的にもしっかりした安定企業。営業を始めてから数年の歴史があります。製品には三年間の限定保証が付きます。さらに、一年間で価格に見合う省エネができなければ製品を買い戻すというのが、この会社の方針です。私たちはメーカー、社員、商品、その信じられないような特徴、商品に対するメーカーのコミットメント、そして何よりも省エネ効果に満足しました。

私たちをこれほど感心させたマジック・スタット。否が応でも購入したくなる、その価格はなんと七十九ドル（約八千七百円）。取り付けはご自分でやられても数分。

修理屋などに頼んでもよいでしょう。九十九ドル（約一万九百円）のデラックスモデルもあります。機能は通常モデルと同じですが、美しい新型ケースが付きます。

この冬は大いにエネルギーを節約してください。暖房費が最高三〇％減るだけでなく、一五％のエネルギー税控除が受けられます。一年後にこの商品に一〇〇％満足できないときはJS＆Aにご返品ください。返金を受けたうえで、前のサーモスタットをお取り付けいただいてかまいません。

これまでにない省エネ

しかし、私たちが信頼している点がいくつかあります。まず、現在をはるかに上回る省エネ、そして満足が実現するでしょう。次に、涼しめの空気のなかで心地よく眠り、しかもちょうどよい温度のなかで目覚めることができるでしょう。

見た目はものの真価とは無関係です。名前もさほどの意味はありません。しかし、もっと印象のよい名前にしてほしかったものです。たとえば「トゥインクル・テンプ」のように――。

ご注文は、クレジットカードの場合、フリーダイヤルにお電話のうえ、以下の番号で商品をご指定ください。小切手の場合は送料四ドル（約四百四十円）を加算してご送付ください。
マジック・スタット（0040C）……七十九ドル
デラックス・マジック・スタット（0041C）……九十九ドル

商品がコケにされるのを見て読者は引きつけられ、コピーに入り込んでいきます。「どういうつもりだ？　なぜ商品をけなすんだ？」という気持ちでしょう。

読者は宣伝文を読みはじめます。すると、私たちが絶賛するある特徴を発見します。今回はそれが「取り付け」でした。サーモスタットの販売で克服すべき最大の障害です。

そのあとはラクなものです。取り付けが終わったら、他にも優れた特徴を見つけ、残る異論（名前や外観）に対応したうえで、商品のベネフィットをすべて売り込みます。そして実際、私たちは三年以上にわたってそれを実行したのです。

常識はずれの広告の秘密

私は通販広告で小型飛行機を売ったことがありますが、そのあと、さらに高いレベルに挑戦する機会がありました。六億円の家を売ることができるでしょうか。飛行機の場合と同じく買い手がひとり見つかるかもしれません。必要なのはそう、たったひとりなのです。

そこで一九八七年に、最初から最後までストーリー形式の広告をつくりました。家とあわせてビデオを売るのが戦略でした。家が売れなくても、広告費を賄うくらいのビデオは売れるだろうと。しかしビデオは売れず、家も売れませんでした。

【キャッチコピー】**通販邸宅**

【リード】プール、テニスコート、素晴らしい眺望がついて、わずか六百万ドル（約六億六千万円）。

【署名】ジョセフ・シュガーマン

【コピー】これはお買い得です。お買い求めにならないとしても、ストーリーはお気に召すでしょう。

すべての始まりはある招待からでした。私は全米でも指折りの不動産ディベロッパーから、カリフォルニア州マリブの自宅で催されるパーティーに招待されたのです。理由はわかりません。「とにかくお越しください」のひとことです。

シカゴのオヘア空港ではジェット機が私を待ち構え、ロサンゼルスでは運転手付きのリムジンに迎えられてマリブに向かいました。何から何までそんな具合です。

到着したときにはパーティーは始まっていました。ロールスロイスがずらっと並び、家のなかからは音楽とざわめきが聞こえてきます。何か特別なことが起こっているのは間違いありません。

有名なゲストたち

なかに入ると、ホストとその夫人に紹介されました。続いて彼らは私を案内し、何人かのゲストに引き合わせました。「こちらはジョセフ・シュガーマン。興味深い通販広告をたくさん書いておられる、あの有名なコピーライターです」

有名な映画スター、全国に名の知れたスポーツキャスター、テレビドラマのスター、有名な野球選手が数人、カリフォルニア州の有名な政治家が二人。どれも知った顔でしたし、私のことを知っているという方も何人かおられました。じつは私のお客様もいらっしゃったのです。でも、なぜ私がここに？　いまだにわかりませんでした。

家のなかを見て回る機会がありました。それまで素晴らしい家をいろいろ見てきましたが、これはそのなかでも最も見事と言わざるをえません。第一に、砂浜と太平洋を見下ろす三十メートル近い断崖のうえに建っています。第二に、夜だったので、ロサンゼルスの海岸線がすべて見渡せたのです。まるで夜のクルーズ船に乗って、あたり一面太平洋、振り返れば街の灯りという感じです。

それから、その断崖のことで思い当たりました。ここは芸能界で最もよく知られた結婚式の舞台ではないかと。写真撮影している上空を七台のヘリコプターが舞うとかいう……。あとでやはりそうだと判明しました。

ここは眺望のよさをうまく利用した家です。ほぼすべての部屋が海に面しています。スライド式のガラスドアがすっかり開くので、何にも邪魔されずに海を眺めることができます。余分な仕切りや梁《はり》はありません。

家中に響いていた音楽は最初ライブだと思いました。でもあとでわかったことですが、この家にはレコーディングスタジオに匹敵するサウンドシステムをそなえた、個人宅としては最高の音響効果が施されていたのです。なんという家でしょう。

テニスコート、プール、ジャグジーもあれば、屋内のどこからでも制御可能な電子照明システムもあります。天井は七・五メートルも高さがあり、趣味のよいインテリア装飾は各賞を総なめにしたのももっともと領かせるものがあります。でも、なぜ私がここに？　わざわざ招待してくれたのはいったい？　それがようやくわかりました。

ディベロッパーと夫人は五つのベッドルームのうちひとつを私にあてがってくれ、ゲストが帰ると私をリビングルームに招き入れました。「あなたをご招待したのはほかでもない、この家を売るために広告を書いてほしいのです。あなたはアメリカでも指折りのコピーライターだ。ここはさまざまな賞をいただいた一流の住宅ですから、やはり一流のコピーライターにお願いしたいのです」

いまだから言いますが、うれしい話でした。「でも、私は通販のコピーライターですよ。これほど高価な家をどうやって売れとおっしゃるんですか？」

とても特別な家

「簡単ですよ」とディベロッパー。「その価値で売るのです。ここはとても特別な家です。ロサンゼルスに面した湾曲部から突き出た半島にあります。崖のうえからはロサンゼルスを一望できます。まるで海上に建っているかのようです。それに場所がいいので海からの強風を受けることはなく、年中そよ風が吹きます。土地そのものの価値が高いので、お隣さんはワンベッドルームの家に九百万ドル（約九億九千万円）出したほどです」

私は落ち着かなくなってきました。「申し訳ありませんが、お宅を売る方法はありません。自分の会社名に基づかない広告を書くのはお断りします。私は不動産業者ではありませんし」でも彼は主張します。

「大丈夫、できますよ。この家は投資物件です。外貨がそこらにあふれています。アメリカでも一番を争う場所にある超一流の家を探している特別な人をひとり見つけるだけでいいのです。すぐに売れますよ」

最後の抵抗

私は辞退しました。最後の抵抗でした。

「申し訳ありませんが、三十日以内に返品できないものはお売りできません。私のお客様は何を買ってもそれを返品し、すぐに払い戻しを受けることができるのです。クレジットカードの問題もあります。マスターカードや、ビザ、アメリカン・エキスプレスを使って購入しやすいものでなければ――」

あとはご承知のとおり。私が売り出すのは本当にこの家なのです。（三一二）五六四ー七〇〇〇にお電話のうえ、見学の日程調整をお願いいたします。このチャンスをお見逃しなく。ビザ、マスターカード、アメリカン・エキスプレスのほか、米ドル、日本円、その他流通性のある通貨ならすべて受け付けております。

ご購入後は三十日間、そこでお暮らしください。壮大な眺め、美しいビーチ、ゆったりとした生活をご堪能ください。三十日後にすっかりご満足いただけない場合は、もとのオーナーに返却し、ただちに払い戻しを受けることができます。

ディベロッパーとそのご夫人は、私が彼らの家を売るというのでワクワクしておられます。通販事業と不動産事業は同じではないと承知されておりますし、一定の譲歩もお考えです。しかし、あなたは譲歩する必要はありません。あなたがもしアメリカ一の場所に建つ豪華な家をお探しの特別な方であれば、私まですぐにお電話ください。

追伸。見学のお時間がなければ、この家のビデオテープをご注文ください（商品番号は七〇七七ＹＥ）。二十ドル（約二千二百円）＋郵送料・手数料三ドル（約三百三十円）を以下までお送りいただくか、クレジットカードの場合は以下のフリーダイヤルにお電話ください。

マリブの邸宅……六百万ドル

さきに述べたように、家は売れませんでした。それにビデオもあまり売れず、広告費の回収さえできませんでした。でも、そうしたリスクを負うのはやぶさかではありません。この広告は大きなパブリシティ効果を生みました。テレビへの出演依頼も受けましたが、それは断りました。

ディズニーの不動産部門からも電話があり、ウォルト・ディズニーの旧宅を同じように販売しないかと持ちかけられました。これもお断りしました。常識外れの不動産広告はもうたくさんです。

【著者略歴】
ジョセフ・シュガーマン（Joseph Sugarman）
全米屈指の宣伝、広告文の書き手であり、通販事業で伝説を作り上げたパイオニア。1971年、みずからの会社JS&Aで、グラフィック以上にコピーを重視した全面広告を用いた販売手法で大成功をおさめる。79年にはその年を代表する「ダイレクトマーケティングマン」に選ばれ、91年にはダイレクトマーケティングへの長年の功績に対して「マクスウェル・ザクハイム賞」を受賞した。

【監訳者略歴】
金森重樹（かなもり・しげき）
1970年生まれ。東大法学部卒。ビジネスプロデューサー。投資顧問業・有限会社金森実業代表。物件情報の提供から、融資付け、賃貸募集の支援まで行う会員組織「通販大家さん」を運営し、会員が億単位の資産形成をするのをサポート（会員数1万7000人）。読者数10万人のメールマガジン、「回天の力学」の発行者として、マーケティング業界でも著名。著書に『1年で10億つくる！不動産投資の破壊的成功法』（ダイヤモンド社）、『行政書士開業初月から100万円稼いだ超・営業法』（PHP 研究所）など。
通販大家さん http://www.28083.jp
金森重樹オフィシャル HP http://www.kanamori.biz

作家エージェント　アップルシード・エージェンシー
www.appleseed.co.jp

全米 No.1 のセールス・ライターが教える
10倍売る人の文章術

2006年３月31日　第１版第１刷発行
2021年４月20日　第１版第23刷発行

著　　者　ジョセフ・シュガーマン
監 訳 者　金森重樹

発 行 者　後藤淳一
発 行 所　株式会社PHP研究所
東京本部　〒135-8137　江東区豊洲 5-6-52
第一制作部　☎03-3520-9615（編集）
普及部　☎03-3520-9630（販売）
京都本部　〒601-8411　京都市南区西九条北ノ内町11
PHP INTERFACE https://www.php.co.jp
印刷所・製本所　図書印刷株式会社

ISBN4-569-64937-8